KEY *to* A NEW
RUSSIAN GRAMMAR

By the same Author

KEY *to* A NEW
RUSSIAN GRAMMAR

by

ANNA H. SEMEONOFF

LONDON: J. M. DENT & SONS LTD.
NEW YORK: E. P. DUTTON & CO. INC.

All rights reserved
Made in Great Britain
at the
Aldine Press · Letchworth · Herts
for
J. M. DENT & SONS LTD
Aldine House · Bedford Street · London
First published 1938
Reprinted 1941, 1943, 1945, 1948, 1952, 1955, 1959, 1962

PREFACE

IN this Key the English translation of the Russian exercises has been given in accordance with English usage, as the Russian construction is fully explained in the Lessons of the Grammar. In some cases, however, alternatives will be found in brackets. In the Russian versions alternative translations are also given in brackets when necessary. As to accents, although they are printed in the exercises, in written work accents should not be used.

The Table of Endings merely summarizes all the endings without explanation, and will be found useful only after the endings have been studied along with the Lessons. The aim of this Table is to show that the same endings repeat themselves all through, and that there are not so many as is usually thought.

A. H. S.

EDINBURGH,
April 1938.

CONTENTS

LESSON I

A. 1. Here is a table. 2. There is a window. 3. The chair is here. 4. Who is there? He is there. 5. What is there? The book is there. 6. She is at home. 7. They are not at home, they are in the class (room). 8. Is he in town? 9. No, he is in the village. 10. Where is the table? 11. The table is in the house. 12. And the house (*i.e.* and what about the house)? 13. And the house (as to the house) is in the town. 14. The village is on the river. 15. The Volga is a river, and (but) Moscow is a town. 16. That village is on the Volga. 17. Moscow is on the river Moscow, and (but) not on the Volga. 18. He is here, and she is there. 19. The book is on the table, and the map is on the wall. 20. There is a picture in the book. 21. The water is in the river. 22. The boat is on the river. 23. They are in the boat. 24. That boat is not here. 25. We are in town and not in the village (*lit.* here is town and not village).

B. 1. Где он? 2. Он тут. 3. Она́ там. 4. Что на столе́? 5. Кни́га на столе́. 6. Где дом? 7. Дом в го́роде. 8. Где карти́на? 9. Она́ на стене́. 10. В до́ме он? 11. Да, он в до́ме, но не до́ма. 12. Что на стене́ в кла́ссе? 13. На стене́ карти́на. 14. Где стол и стул? 15. Они́ в ко́мнате. 16. А где ко́мната? 17. Она́ в до́ме. 18. Они́ в Москве́. 19. Та ло́дка на реке́. 20. Она́ не в го́роде; она́ в селе́. 21. Вот стол. 22. Вон они́! 23. Вот доска́. 24. Что на доске́? 25. Сло́во на доске́, а (но) не в кни́ге. 26. Кто в ко́мнате?

LESSON II

A. 1. He wrote (was writing) a letter. 2. She was reading a book. 3. They spoke Russian. 4. Who worked in the house?

5. What did he do (was he doing) yesterday? 6. He stayed at home and worked. 7. Nobody in the house spoke Russian. 8. Did he understand (was he following) when she spoke Russian? 9. He did not always understand when she spoke quickly. 10. The brother read slowly. 11. She was looking at the picture. 12. The sister was looking at the book. 13. What did she see in the book? 14. She saw a picture. 15. Did he see who was playing tennis? 16. Who played the organ yesterday? 17. The brother played the organ and the sister the violin. 18. Where were they playing? 19. They were playing at home. 20. When he read Russian he always looked in the dictionary. 21. He remembered everything he saw. 22. She did not understand everything she read. 23. Did he see Leningrad? 24. No, he did not, but he saw Kiev. 25. Kiev is on the Dnieper. 26. She was sitting in the room and was looking at the window. 27. What did she see there? 28. She saw brother and sister playing tennis.

B. 1. Он писа́л. 2. Они́ чита́ли. 3. Она́ говори́ла. 4. Он игра́л. 5. Что она́ де́лала? 6. Понима́ли они́? 7. Он ви́дел. 8. Она́ ви́дела. 9. Они́ рабо́тали. 10. По́мнили они? 11. Она сиде́ла. 12. Она не игра́ла. 13. Что он игра́л? 14. Не игра́ла ли она? 15. Они́ никогда́ не писа́ли по-ру́сски. 16. Никто́ не говори́л. 17. Никто́ не ви́дел. 18. Он никогда́ не рабо́тал. 19. Не ви́дел ли он? 20. Она́ не смотре́ла. 21. Где бума́га? 22. Вот кни́га, а бума́га (газе́та) на столе́.

C. 1. Кто чита́л уро́к? 2. Брат писа́л а́дрес на конве́рте. 3. Они рабо́тали до́ма. 4. Он всегда́ чита́л по-ру́сски. 5. Никто́ не говори́л по-ру́сски там. 6. Он никогда́ не смотре́л на сестру́, когда́ он говори́л. 7. Где они́ сиде́ли? 8. Не говори́ли ли они́? 9. Да, говори́ли. 10. Как они́ говори́ли? 11. Они говори́ли по-ру́сски, и говори́ли ско́ро.

12. Что она́ де́лала до́ма вчера́? 13. Она́ рабо́тала.
14. Ви́дел он, как она́ рабо́тала? 15. Кто игра́л на
скри́пке тут? 16. Никто́ не игра́л на орга́не вчера́.
17. Они́ всегда́ игра́ли в те́ннис. 18. Ви́дела она́,
как они́ игра́ли? 19. Нет, не ви́дела. 20. Где
слова́рь? 21. Он ви́дел слова́рь на столе́. 22. Она́
смоте́ла в кни́гу. 23. Ви́дела она́ карти́ну в кни́ге?
24. Как по-ру́сски " pen "? 25. Ленингра́д на реке́
Неве́. 26. А где Ха́рьков? 27. Ха́рьков не на
реке́, но Ки́ев на Днепре́.

LESSON IIa

A. 1. He saw that shop where she worked. 2. Nobody in the
class knew that the Dnieper was a river. 3. Kiev is on the Dnieper.
4. The teacher and the pupil spoke Russian. 5. Nobody understood (was following) what they were saying. 6. They spoke so
quickly that nobody understood (could follow). 7. The teacher
watched the pupil writing on the board. 8. He was writing very
slowly. 9. He did not know what to write. 10. Who played the
violin here yesterday? 11. Yesterday nobody played either the
violin or the organ. 12. Who said that they were playing here?
13. The teacher did not know that the pupil could speak Russian.
14. She did not know Russian for " violin." 15. Whilst the sister
was learning her lesson the brother was writing a letter. 16. When
he had written the letter he read Russian. 17. They never worked
either at home or in the shop. 18. He did not know how to
write the address in Russian. 19. Has he finished (reading) the
book? 20. No, but (my) sister saw him reading. 21. Have
they written what the teacher said? 22. He did not know
whether they had written. 23. Did she not see the textbook
on the table?

B. 1. Ви́дела она́ карти́ну на стене́? 2. Ви́дела.
3. Кто игра́л на орга́не вчера́? 4. Вчера́ никто́ не
игра́л ни на орга́не, ни на скри́пке. 5. Где они́

игра́ли в те́ннис?   6. Они не игра́ли в те́ннис.
7. Они сиде́ли до́ма и рабо́тали.   8. Вот магази́н,
где они рабо́тали.   9. Он посмотре́л на магази́н,
(if connected with the previous sentence) *or* он смот-
ре́л на магази́н.   10. Они не понима́ли что она
говори́ла.   11. Она говори́ла о́чень ско́ро.   12. Что
она сказа́ла?   13. Она сказа́ла, что никто́ не понимал
что она говори́ла.   14. Они не зна́ли что писа́ть.
15. Учи́тель писа́л на доске́.   16. Они не ви́дели что
он писа́л.   17. Как по-ру́сски " field " ?   18. Иногда́
они говори́ли по-ру́сски в кла́ссе.   19. Никто́ не
говори́л по-ру́сски вчера́.   20. Учи́тель ви́дел, как
он писа́л письмо́ в классе.   21. Он не знал, говори́ла
ли она по-ру́сски.   22. Не ви́дела ли она бума́гу?

LESSON III

A. 1. My brother.   2. My sister.   3. My pen.   4. This house.
5. This room.   6. This window.   7. The whole day.   8. The
whole book.   9. The whole morning (all the morning).   10. The
new town.   11. The new picture.   12. The last word.   13. The
last lesson.   14. The last week.   15. A day of the week.   16. After
dinner.   17. The brother's book.   18. The sister's room.   19. To
speak English.   20. To write Russian.   21. Everybody played
tennis there.   22. Everything was mine.   23. This is not my book.

B. 1. Yesterday we all were at home.   2. We were sitting in
the room.   3. On the table stood a lamp.   4. Everybody worked.
5. Mama was writing a letter.   6. My sister was reading my
brother's book.   7. The brother was playing the organ.   8. Nobody spoke.   9. What did you do yesterday ?   10. We worked
the whole day.   11. Where were you yesterday ?   12. I was at
home, and my brother was in the field.   13. Have you been in
Moscow ?   14. No, I have never been in Moscow.   15. My sister
has never been on the Volga.   16. Here is my brother's new book.
17. Did you not see my brother ?   18. Yes, I saw him working

in the field. 19. When were you in the field? 20. Yesterday
after dinner. 21. What is this? This is a table. 22. And this?
This is a book.

C. 1. Мой дом. 2. Твоя картина. 3. Моё окно.
4. Весь год. 5. Вся неделя. 6. Он читал всё.
7. Всё на столе. 8. Новый год. 9. Старая картина. 10. Последнее письмо. 11. Комната сестры.
12. Добрый вечер. 13. Этот город. 14. Это море.
15. Вся книга. 16. Она не была тут. 17. Была
она там? 18. Первый урок. 19. До обеда. 20. У
окна. 21. Все здесь. 22. Все играли. 23. Вот
моя рука.

D. 1. Вчера мы читали и писали по-русски.
2. Никто не говорил по-английски. 3. Все говорили
по-русски. 4. Что они делали в городе? 5. Они
обедали. 6. Брат и сестра играли в теннис. 7. Он
никогда не работал в поле. 8. Были вы на Волге?
9. Я никогда не был на море. 10. Она никогда не
видела Волгу. 11. Были вы дома вчера? 12. Кто
стоял в комнате? Никто. 13. Она читала по-
следний урок. 14. Видели вы мою книгу на столе?
15. Вот моя новая книга. 16. Вчера мы обедали
в городе. 17. Он всегда обедал дома. 18. Как
по-английски это слово? 19. Вон моя книга. 20. Эта
книга моя. 21. Это словарь брата.

LESSON IIIa

B. 1. Have you a table in your room? 2. Yes, I have a table
and four chairs. 3. Where did they dine yesterday? 4. They
dined at our house. 5. We dined at two o'clock. 6. What did
you do the whole week? 7. We worked in the field. 8. My

sister has never been on the sea. 9. I have two sisters and two brothers. 10. And how many have you ? 11. What have I in my hand ? 12. You have a book and I have a pen. 13. She always dined once a week at our house. 14. Have you a brother ? 15. No, I have never had either a brother or a sister. 16. There was no chair in the room. 17. On the table there were a lamp, a pen and some paper. 18. He read Russian two hours a day. 19. Here is my dictionary. 20. Yesterday you had no dictionary. 21. There is no chalk in the class. 22. What did she say ? 23. She said " au revoir."

С. 1. На стене́ была́ карти́на. **2.** Ви́дели вы э́ту кни́гу? **3.** Где вы ви́дели сестру́ до́ктора? **4.** Я никогда́ не ви́дел сестру́ до́ктора. **5.** Он рабо́тал всю неде́лю. **6.** По́сле обе́да я рабо́тал два часа́. **7.** У нас уро́к три ра́за в неде́лю. **8.** Ви́дели вы э́ту карти́ну, когда́ вы бы́ли в Москве́? **9.** Вот мой ста́рый дом. **10.** Нет ли у вас пера́? **11.** Нет, у меня́ нет пера́, но у бра́та есть. **12.** Что э́то на столе́? **13.** Э́то не моя́ кни́га. **14.** Что вы де́лали до обе́да? **15.** Я написа́л два письма́ до обе́да. **16.** Где вы ви́дели до́ктора? **17.** Он был раз в апте́ке, когда́ я там рабо́тал. **18.** У нас в го́роде но́вая апте́ка. **19.** Кто сказа́л, что меня́ не́ было до́ма вчера́? **20.** А бы́ли вы? **21.** Да, я был до́ма весь день. **22.** Э́то всё.

LESSON IV

B. 1. He is reading Russian. 2. I already speak English. 3. We are taking a walk in the field. 4. She goes to school. 5. You work in the office. 6. The table stands in the room. 7. Do you remember this word ? 8. I saw it in the dictionary but I do not remember it. 9. What is your sister doing now ? 10. She is writing a letter. 11. Who is this young gentleman ? 12. He is our teacher, he is not a Russian, he is an Englishman.

13. Did you see my sister? 14. I saw her yesterday in the theatre.
15. They never go to the theatre. 16. Do you know this English-
woman? 17. No, I see her for the first time. 18. Do you always
dine in a restaurant? 19. No, only sometimes. 20. It is good
weather to-day, and yesterday it was bad. 21. Is Russian spoken
here? 22. No, here nobody speaks either Russian or English.
23. Read slowly, please! 24. Always speak Russian! 25. Do
not play so quickly! 26. Where did you go yesterday? 27. We
went to the theatre. 28. Where were you to-day before dinner?
29. I was at school. 30. Do you understand what I am saying?
31. I understand everything when you speak slowly. 32. Do
not speak so quickly! 33. In an "изба" people sit on a bench.
34. In a town it is "магазин", and in a village "лавка".
35. Have you spoken Russian for a long time? 36. No, only for
a year. 37. Were you in town for a long time? The whole day.
38. Yesterday we went to the park for a walk. 39. They always
take a walk in the park. 40. I see them there twice a week.
41. Here is your pencil. 42. Thanks. 43. I always say "thanks",
but my sister says "thank you".

C. 1. Мой брат в го́роде тепе́рь. 2. Куда́ он ходи́л
вчера́? 3. Он ходи́л в конто́ру. 4. Что вы де́лаете
здесь? 5. Я чита́ю газе́ту. 6. Вот ваш журна́л;
чита́йте ме́дленно, пожа́луйста. 7. Не говори́те
по-англи́йски в кла́ссе. 8. Что вы ви́дите на стене́?
9. Я сижу́ у стола́ и пишу́ письмо́. 10. Он ничего́
не зна́ет. 11. Госпожа́ N. никогда́ не хо́дит в теа́тр.
12. Зна́ете вы э́тот англи́йский магази́н? 13. Я
никогда́ не хожу́ в э́тот магази́н. 14. Что говори́т
учи́тель? 15. Он говори́т, что мы хорошо́ пи́шем
по-ру́сски. 16. Куда́ вы е́здили на ло́дке сего́дня?
17. Мы е́здили в село́ на Во́лге. 18. Он весь день
ничего́ не де́лал. 19. Пожа́луйста не ходи́те никуда́
сего́дня. 20. Я не понима́ю, когда́ вы чита́ете так
ско́ро. 21. Я не зна́ю, хо́дит ли она́ в банк. 22. Я
зна́ю его́ и её о́чень хорошо́. Я зна́ю их. 23. Они́

говоря́т по-ру́сски о́чень пло́хо. 24. Я всегда́ его́ благодарю́. 25. Хорошо́ говори́т ваш брат по-ру́сски? 26. Ви́дите вы э́ту карти́ну? Это ру́сская карти́на. 27. Вы давно́ здесь *or* тут? 28. Нет, то́лько три неде́ли. 29. Здра́вствуйте!

LESSON V

B. 1. Dinner is on the table. 2. A piece of bread. 3. A glass of milk. 4. A pound of butter. 5. A plate of soup. 6. The window of the house. 7. He answers his brother. 8. We went to a village. 9. They go from town to town. 10. After the lesson they went for a walk. 11. Who is sitting at the window? 12. I write with a pen. 13. He is taking a walk with his brother. 14. Tea without milk. 15. Three o'clock in the morning. 16. She eats meat without bread. 17. We have no butter. 18. Give me some bread. 19. There are a table and two chairs in the room. 20. This glass is for wine. 21. This cup is for coffee. 22. The son goes to London to his father. 23. Here everybody talks about the weather. 24. What do you drink in the evening? 25. Do you like hot milk? 26. I never drink milk. 27. There is no bread on the table. 28. Give me a serviette, please. 29. Here is his glass. 30. My brother is very fond of fried fish

C.

	Nom.	хлеб-	мя́с-о	ча-й	по́л-е	пить-ё
	Gen.	„ а	„ а	„ я	„ я	„ я́
	Dat.	„ у	„ у	„ ю	„ ю	„ ю́
	Acc.	хлеб-	„ о	„ й	„ е	„ ё
	Instr.	„ ом	„ ом	„ ем	„ ем	„ ём
	Prep. о	„ е	„ е	„ е	„ е	„ é

	Nom.	геро́-й	оте́ц	учи́тел-ь	день
	Gen.	„ я	отца́	„ я	дня
	Dat.	„ ю	отцу́	„ ю	дню
	Acc.	„ я	отца́	„ я	день
	Instr.	„ ем	отцо́м	„ ем	днём
	Prep. о	„ е	об отце́	об „ е	о дне

D. 1. Сын отца́. 2. Кни́га бра́та. 3. Проси́ть хле́ба. 4. Кусо́к мя́са. 5. Два куска́ са́хару. 6. Ча́шка ча́ю. 7. Фунт ры́бы. 8. По́сле обе́да. 9. У бра́та. 10. Он хо́дит к отцу́. 11. Из Ло́ндона. 12. От отца́. 13. Мы е́здим из села́ в село́. 14. Ку́шайте, пожа́луйста. 15. Он ку́шает хлеб без ма́сла. 16. Я пью молоко́ у́тром. 17. Куда́ вы хо́дите ве́чером? 18. Утром я сижу́ до́ма. 19. Что вы де́лаете днём? 20. Он никогда́ не ку́шает мя́са. 21. Он не лю́бит мя́са. 22. Он ку́шает холо́дный суп. 23. Они́ все пьют вино́. 24. Когда́ вы у́жинаете? 25. Мы обе́даем ве́чером; мы никогда́ не у́жинаем. 26. У нас холо́дный у́жин сего́дня. 27. Он был у сестры́, но он не ви́дел вас. 28. Они́ у́жинали у нас. 29. Я не за́втракал сего́дня. 30. Где моя́ больша́я ло́жка? 31. Да́йте таре́лку су́пу, пожа́луйста. 32. Вот ва́ша салфе́тка.

LESSON Va

B. 1. Here is a table. 2. We are sitting at the table. 3. We are dining. 4. On the table there are bread, butter, meat, and fish. 5. At dinner we eat soup, meat, fish, vegetables, and fruit. 6. Father drinks wine at dinner. 7. What do you drink in the morning? 8. I drink coffee, but father likes to drink tea. 9. He takes sugar and milk in his tea. 10. In our house nobody eats meat in the morning. 11. At lunch we eat fish. 12. What have we for supper to-day? 13. Give me some bread, please. 14. When we live in town we always dine in the evening. 15. In the morning they took bread and butter and coffee. 16. I take meat only twice a week. 17. It is very warm to-day. 18. We do not like to eat fish when it is so warm. 19. At three o'clock she always has a cup of tea. 20. Are you cold here? 21. No, I am not cold. 22. Yesterday it was very hot here. 23. My brother is a boarder (lives) at school. 24. In our school the food is good. 25. Give me some water, please, I am very thirsty. 26. You are very hungry.   27. Here are some fruit and bread and butter, but we have no milk.

C. 1. Я люблю́.   2. Ты даёшь.   3. Он живёт.   4. Они живу́т.   5. Мы еди́м.   6. Вы ку́шаете.   7. Они пьют. 8. Она за́втракала.   9. Вы не у́жинали.   10. Кто отвеча́ет?   11. Он отвеча́ет за э́то.   12. Она хо́чет пить.   13. Хоти́те вы ку́шать? *or* Го́лодны вы? 14. Хо́лодно вам?   15. Мне тепло́.   16. Ку́шайте, пожа́луйста.   17. Скажи́те мне, пожа́луйста.   18. Не говори́те нам.   19. Чего́ вы хоти́те?   20. Я ничего́ не хочу́.   21. Кто хо́чет?   22. Они хотя́т у́жинать.

D. 1. Она всегда́ пьёт ча́шку ча́ю в четы́ре часа́ утра́.   2. За за́втраком она ку́шает ры́бу, но она никогда́ не ку́шает мя́са.   3. За обе́дом оте́ц пьёт вино́, но сын пьёт то́лько молоко́.   4. Вчера́ по́сле обе́да мы ходи́ли в теа́тр.   5. Там бы́ло о́чень жа́рко. 6. Мы пи́ли чай в го́роде сего́дня.   7. Вы пьёте чай с са́харом?   8. Мы никогда́ не пьём чай по́сле обе́да. 9. Вот вам (*or* ва́ши) нож и ви́лка, ку́шайте, пожа́луйста.   10. Хоти́те ещё?   11. Я ещё не съел, что у меня́ на таре́лке.   12. Э́тот стака́н для молока́, а тот для вина́.   13. Лю́бите вы щи?   14. Он пьёт чай из стака́на.   15. Не пе́йте воды́ за обе́дом.   16. Да́йте мне, пожа́луйста, таре́лку су́пу и кусо́к хле́ба. 17. Ве́чером она лю́бит пить тёплое молоко́.   18. В ко́мнате о́чень хо́лодно.   19. Тепе́рь здесь тепло́, но вчера́ бы́ло о́чень хо́лодно.   20. Она не лю́бит дава́ть "на чай."   21. Кто вам сказа́л, что ла́мпа не гори́т?   22. Оте́ц сказа́л мне, что он ви́дел вас в теа́тре.   23. Не пе́йте холо́дную во́ду, когда́ вам

жарко.   24. За обедом они всегда говорили по-
русски.   25. Что вы хотите кушать сегодня?   26. Я
не хочу ничего есть; я только хочу пить.

LESSON VI

B. 1. Have you a grandmother? 2. I have neither grandmother nor grandfather. 3. This young girl is his sister. 4. This
little boy is the best pupil in school. 5. I go to my aunt's twice
a week. 6. Have you been to Russia? 7. No, I have never been
to Russia. 8. When did your uncle go to Russia? 9. He went
there in summer with an excursion. 10. What do you do in
summer? 11. In summer we work in the garden and in the
fields. 12. Can you read Russian? 13. I can read and write
but not speak. 14. We have a new singing teacher at school.
15. She sings very well. 16. Do you listen when the teacher
explains the lesson? 17. Yes, I always listen. 18. You have a
very pretty sister. 19. She is a very clever little girl. 20. The
teacher says that this pupil reads very well now. 21. Is your
teacher Russian? 22. Yes, she comes from Moscow. 23. Did
you hear this little bird sing? 24. We listened to it in the garden
in spring; it has a nest there in a tree. 25. In a corner in the
room stands a little table. 26. Did you not see the key of the
garden? 27. Is it not in the door? 28. I saw it in the morning
on the floor near the door. 29. Have you been to France?
30. Yes, I have been to France twice.

C. 1. Вы объясняете.   2. Мы слушаем.   3. Слу-
шайте, пожалуйста.   4. Она не слушала.   5. Они
пели.   6. Он не слышит.   7. Я не слышал.   8. Слышите вы?   9. Мы ничего не слышим.   10. Он поёт.
11. Они поют.   12. Умеете вы читать?   13. Она
не умеет писать.   14. Добрый дядя.   15. Мой
старый дедушка.   16. В саду.   17. В углу.   18. На
углу.   19. В Шотландии.   20. В Англии.   21. Наш
умный дядя.   22. Его маленькая сестра.

D. 1. Кто эта старая дама? 2. Это моя тётя.
3. Умеет она говорить по-русски? 4. Была она в
России? 5. Да, она ездила туда осенью с экскурсией.
6. Когда вы ездили во Францию? 7. Я никогда не
был во Франции. 8. Что вы делаете вечером зимой?
9. Я сижу дома и читаю. 10. Умеете вы читать
по-русски? 11. Да, но я всегда читаю с словарём.
12. Русская ваша учительница? 13. Нет, она
англичанка, но она хорошо говорит по-русски.
14. Ваша маленькая сестра первая ученица в классе.
15. Она очень умненькая девочка. 16. И она очень
хорошенькая. 17. У нас большой сад. 18. Мы
любим сидеть в саду весной. 19. Слышите вы, как
птичка поёт? 20. Она поёт очень красиво. 21. Видели вы её гнёздышко в саду? 22. В гнезде две
птички. 23. Они поют всё лето. 24. Где ключ от
дома? 25. Он не в двери, *or* Его нет в двери.
26. Он у меня в кармане. 27. Знаете вы эту
русскую песню? 28. Нет, я никогда не слышал
её. 29. Все поют её в России. 30. Это очень
хорошенькая песня.

LESSON VII

B. 1. Where are you going ? 2. I am going to school. 3. Where
did she go yesterday after dinner ? 4. She went for a walk in the
fields. 5. Do you often go to London ? 6. Father goes every
year, but my sister and I go very seldom. 7. My brother went
to London in spring when Shalyapin was singing there. 8. He
also took our aunt; she is very fond of music and singing. 9. I
saw you when you were going to the library. 10. Where are
you taking your little sister ? 11. In autumn we always go to
Scotland. 12. When I am travelling in a train I like to look out
of the window. 13. I saw her from the tram window. 14. She
was going in a motor-car and had a big trunk with her.

15. What is he carrying in his hand? 16. Yesterday it rained the whole day. 17. They stayed the whole winter at home; they did not go anywhere. 18. It snows very seldom in England. 19. But it rains sometimes every day. 20. In autumn nobody goes out without an umbrella. 21. Did you not see the porter? 22. Here he comes bringing your two trunks. 23. Where is this train going? 24. This train is for Glasgow. 25. He wears this suit only in winter. 26. To-day after tea I am going to school and from there to the theatre.

С. 1. Он хо́дит в шко́лу у́тром. 2. Она́ не е́дет в го́род сего́дня. 3. Куда́ вы идёте? 4. Что он несёт? 5. Мы е́дем в теа́тр трамва́ем сего́дня. 6. Е́дете вы трамва́ем или в автомоби́ле? 7. Куда́ вы е́дете зимо́й? 8. Я всегда́ е́зжу в Ло́ндон зимо́й. 9. Я несу́ э́то письмо́ сестре́. 10. До́ктор везёт мою́ сестру́ в Ло́ндон. 11. Мы е́здили в Росси́ю ле́том. 12. Кто это идёт с де́вочкой? 13. Это на́ша учи́тельница; она́ ведёт де́вочку в шко́лу. 14. Моя́ сестра́ хо́дит одна́; она́ больша́я тепе́рь. 15. Ви́дели вы наш дом, когда́ вы шли в конто́ру? 16. Я не ходи́л в конто́ру сего́дня. 17. Вчера́ я был оди́н в конто́ре. 18. Я не люблю́ е́здить трамва́ем. 19. Что вы но́сите, когда́ вы хо́дите в теа́тр? 20. Зимо́й он но́сит ша́пку, а ле́том шля́пу. 21. Это её ле́тняя шля́па. 22. Что вы но́сите в карма́не? 23. Вон носи́льщик; он несёт чемода́н в дом. 24. Она́ никогда́ не хо́дит без пальто́. 25. Это его́ зи́мнее пальто́. 26. Ча́сто вы е́здите в Ло́ндон? 27. Да, я е́зжу туда́ ка́ждый год.

LESSON VIIa

B. 1. When do you go to the lesson, in the morning or in the evening? 2. I always go in the morning, but to-day I am going

in the evening. 3. Does your sister often go to the theatre?
4. We all go to the theatre very seldom. 5. Do you like going
in a motor-car? 6. We went yesterday to town in a boat.
7. What is he carrying in his hand? 8. He always carries an
umbrella. 9. It has been raining the whole day and I have no
umbrella. 10. He is taking his brother to London to see a
doctor. 11. He is going in a car and not by train. 12. I do not
like going in a train in summer. 13. The porter is taking the
trunk to the station. 14. Do not take your sister to the theatre
to-day. 15. He was taking fish to the bazaar. 16. When I was
going to the office I saw a new shop. 17. In winter he wears a
warm suit. 18. She always wears a white dress in summer.
19. The postman is taking (carrying) my letter to the post.
20. Now they are on the sea; they are on their way to Russia.
21. Where is this bird flying? 22. It is autumn now, it is flying
to where it is always warm. 23. In summer we went in an
aeroplane. 24. I saw you in the street to-day; where were you
going? 25. I was going to market for fish. 26. In Russia it
often snows in winter.

C. 1. Отéц хóдит в шкóлу вéчером. 2. Мы ни-
когдá не éздим в Лóндон зимóй. 3. Я не люблю́
ходи́ть в теáтр днём. 4. Мы éдем в теáтр в авто-
моби́ле. 5. Несёте вы э́ту кни́гу в библиотéку?
6. Он всегдá хóдит без пальтó. 7. Я иду́ на ры́нок
сегóдня у́тром. 8. Мы всегдá вóзим фру́кты и
óвощи на ры́нок. 9. Ви́дели вы фру́кты на ры́нке
сегóдня? 10. Нет, там бы́ли тóлько óвощи сегóдня.
11. Он шёл на фáбрику, когдá я шёл в контóру.
12. Егó сестрá стоя́ла перед пóчтой и говори́ла с
почтальóном. 13. Я ви́дел её, когдá я нёс письмó
на пóчту. 14. Э́та у́лица ведёт на стáнцию (к
вокзáлу). 15. Они́ живу́т óчень бли́зко от завóда.
16. Ры́нок недалекó от пóчты. 17. Мы хóдим тудá
кáждый день. 18. И егó брат, и егó сестрá рабóтают
на фáбрике. 19. Мáленький мáльчик ведёт дéдушку

на по́чту. 20. Ему́ есть письмо́ на по́чте. 21. Что она но́сит, когда́ хо́дит на ры́нок? 22. Она но́сит ста́рую шля́пу и ста́рое пальто́. 23. Куда́ вы везёте (ва́шу) сестру́ ле́том? 24. Мы везём её на мо́ре.

LESSON VIII

B. 1. On my table is lying a new Russian book. 2. Have you read Shaw's latest play? 3. No, but I saw it on the stage. 4. On Monday a new play is always given. 5. Tuesday is the second day of the week and Wednesday is the third. 6. Who is this old gentleman speaking with our teacher? 7. It is his father. 8. He has a very rich grandfather. 9. The big new house in your street belongs to him. 10. How many hours a day do you sleep? 11. I sleep eight hours and I work eight hours. 12. What do you do when you are not working? 13. I take a walk, read at home or in the library, and sometimes I go to the pictures. 14. Which day do you go to the library? 15. In which hand do you hold the pen when you write? 16. As you see, I write with my left hand. 17. I cannot write with my right hand. 18. On Saturday she played the whole morning with her little brother. 19. On Sunday, when the weather is good, we always go to the country (out of town). 20. What dress does she wear now every day? 21. Yesterday I saw her in a new blue dress. 22. We are going to London in September. 23. What was the weather like when you were there last? 24. It rained every day. 25. Is it true that this is already the second week that he has been in bed? 26. It is true. 27. Yesterday I was correcting exercise books till eleven o'clock. 28. Such a lot of work you gave me.

C.

Nom.	русск-ий	учи́тел-ь	русск-ая	кни́г-а	русск-ое	сло́в-о
Gen.	„ ого	„ я	„ ой	„ и	„ ого	„ а
Dat.	„ ому	„ ю	„ ой	„ е	„ ому	„ у
Acc.	„ ого	„ я	„ ую	„ у	„ ое	„ о
Instr.	„ им	„ ем	„ ой (ою)	„ ой (ою)	„ им	„ ом
Prep. о	„ ом	„ е	о „ ой	„ е	о „ ом	„ е

Nom.	жа́рк-ий	день	горя́ч-ая	печ-ь		мо-ё	золот-о́е	пер-о́	
Gen.	„ ого	дня	„ ей	„ и		„ его́	„ о́го	„ а́	
Dat.	„ ому	дню	„ ей	„ и		„ ему́	„ о́му	„ у́	
Acc.	„ ий	день	„ ую	„ ь		„ ё	„ ое	„ о́	
Instr.	„ им	днём	„ ей	„ ью		„ и́м	„ ы́м	„ о́м	
				(ею)					
Prep.	о „ ом	дне	о „ ей	„ и		о „ ём	„ о́м	„ е́	

Nom.	до́бр-ый	ма́льчик-	бе́дн-ая	де́вочк-а		больш-о́е	по́л-е	
Gen.	„ ого	„ а	„ ой	„ и		„ о́го	„ я	
Dat.	„ ому	„ у	„ ой	„ е		„ о́му	„ ю	
Acc.	„ ого	„ а	„ ую	„ у		„ о́е	„ е	
Instr.	„ ым	„ ом	„ ой	„ ой		„ и́м	„ ем	
			(ою)	(ою)				
Prep.	о „ ом	„ е	о .- ой	„ е		о „ о́м	„ е	

Nom.	наш-	ста́р-ый	дом-		ста́р-ая	да́м-а
Gen.	„ его	„ ого	„ а		„ ой	„ ы
Dat.	„ ему	„ ому	„ у		„ ой	„ е
Acc.	наш-	„ ый	дом-		„ ую	„ у
Instr.	„ им	„ ым	„ ом		„ ой (ою)	„ ой (ою)
Prep.	о „ ем	„ ом	„ е		о „ ой	„ е

Nom.	ста́р-ое	де́рев-о		си́н-ий	каранда́ш-
Gen.	„ ого	„ а		„ его	„ а́
Dat.	„ ому	„ у		„ ему	„ у́
Acc.	„ ое	„ о		„ ий	каранда́ш-
Instr.	„ ым	„ ом		„ им	„ о́м
Prep.	о „ ом	„ е		о „ ем	„ е́

Nom.	мо-я́	си́н-яя	шля́п-а	си́н-ее	мо́р-е
Gen.	„ ей	„ ей	„ ы	„ его	„ я
Dat.	„ ей	„ ей	„ е	„ ему	„ ю
Acc.	„ ю	„ юю	„ у	„ ее	„ е
Instr.	„ ей (ею)	„ ей (ею)	„ ой (ою)	„ им	„ ем
Prep.	о „ ей	„ ей	„ е	о „ ем	„ е

Nom.	ма́леньк-ое	окн-о́		ва́ш-а	больша́-я	ко́мнат-а
Gen.	„ ого	„ а́		„ ей	„ о́й	„ ы
Dat.	„ ому	„ у́		„ ей	„ о́й	„ е
Acc.	„ ое	„ о́		„ у	„ у́ю	„ у
Instr.	„ им	„ о́м		„ ей	„ о́й	„ ой
				(ею)	(ою)	(ою)
Prep. о	„ ом	„ е́	о	„ ей	„ о́й	„ е

D. 1. Кака́я была́ пого́да вчера́? 2. Вчера́ шёл дождь, но сего́дня я́сно. 3. Второ́го января́ мы е́дем в Ло́ндон. 4. Когда́ мы е́здим в Ло́ндон, мы хо́дим в теа́тр ка́ждый день. 5. Она́ чита́ет по-ру́сски три часа́ в день. 6. Где вы бы́ли в апре́ле? 7. Что вы де́ржите в ма́ленькой ко́мнате? 8. Мы де́ржим там фру́кты и о́вощи. 9. Кто живёт в его́ большо́м до́ме? 10. Его́ бога́тая ба́бушка. 11. В кото́ром часу́ вы обе́даете, когда́ вы живёте в го́роде? 12. Мы всегда́ обе́даем в семь часо́в, а в воскресе́нье в час. 13. Куда́ вы идёте в пя́тницу ве́чером? 14. Мы с сестро́й идём в кино́. 15. Вы никогда́ не́ были в на́шем но́вом теа́тре. 16. У меня́ всегда́ два или три карандаша́ лежа́т на столе́, но я не люблю́ писа́ть си́ним карандашо́м. 17. Что вы де́лаете сего́дня у́тром? 18. Я иду́ гуля́ть с мойм ста́рым дя́дей. 19. Когда́ вы ведёте (ва́шего) ма́ленького бра́та к до́ктору? 20. Я не зна́ю хоро́шего до́ктора здесь. 21. В како́й день у вас уро́к? 22. У меня́ уро́к ка́ждый день. 23. В жа́ркую пого́ду он лю́бит лежа́ть под де́ревом. 24. Бога́тый ча́сто не понима́ет бе́дного. 25. Како́е сего́дня число́? 26. Вчера́ бы́ло восьмо́е, а сего́дня девя́тое января́. 27. Что она́ но́сит зимо́й? 28. Когда я ви́дел её в после́дний раз, на ней бы́ло черное пла́тье (она была в чёрном платье). 29. Все в городе говорят о новой пьесе, которую дают в понедельник. 30. Это русская пьеса.

LESSON IX

B. 1. I need a Russian text-book. 2. I am going to a bookshop. 3. I am buying a book which I need, because it does not cost much. 4. And how much does it cost? Four roubles. 5. He no longer goes to the theatre, because he has to work a great deal now. 6. It is already late, I must (need) go. 7. Why must you go so early? 8. Because I live with my sister and she is alone at home. 9. What do they sell (is sold) in this shop? 10. Anything you wish; yesterday I saw a very rare picture there. 11. This picture is too expensive. 12. It is also too big for my room. 13. How much is a Russian rouble worth now? 14. When we went to Russia (were in Russia) we were given (they gave us) six roubles for a pound. 15. That is very little. 16. But we could buy a lot for (with) a pound there. 17. A copeck is worth very little. 18. This room is too small. 19. It is very hot in it in the evening. 20. When I need a new hat I always go to buy one with my sister. 21. I do not like buying anything too cheap. 22. In what pocket do you keep your handkerchief? 23. Always in the right-hand pocket of my coat. 24. It must be late now. 25. It is my duty to tell you this. 26. I know that you must get up early. 27. I have no desire to go anywhere. 28. You have everything you need. 29. This hat is too small for me: I must buy a new one.

C. 1. Я встаю. 2. Она вставала. 3. Мы встаём. 4. Нужны они вам? 5. Чего вы желаете? 6. Я должен. 7. Она должна. 8. Мы должны были. 9. Вы не должны. 10. Что вы продаёте? 11. Мне нужна книга (нужно книгу). 12. Вам нужно (нужно) перо. 13. Они ей не нужны (ей их не надо). 14. Он слишком велик. 15. Она слишком мала. 16. Много хлеба. 17. Мало сахару. 18. Немного соли.

19. Ско́лько часо́в? 20. Почему́ не продаёте вы? 21. Потому́ что я не хочу́. 22. Не покупа́ет ли он? 23. Не ну́жно ли вам э́то? 24. Мне ничего́ не на́до (ну́жно). 25. Он до́лжен мне. 26. Мы должны́ ему́.

D. 1. Нужна́ вам э́та кни́га? 2. Да, я хочу́ чита́ть её сего́дня ве́чером. 3. Она́ должна́ чита́ть по-ру́сски ка́ждый день, потому́ что она́ чита́ет пло́хо. 4. Эта шля́па, должно́ быть, сто́ит до́рого. 5. Это пальто́ сли́шком велико́ ей (для неё). 6. Мне не нужно́ э́то пла́тье, оно́ сли́шком ста́ро. 7. Почему́ вы ничего́ не покупа́ете у э́того купца́? 8. Я бо́льше не хожу́ в его́ (к нему́ в) магази́н, потому́ что у него́ всё о́чень до́рого. 9. У меня́ тепе́рь то́лько одно́ жела́ние: я хочу́ хорошо́ говори́ть по-ру́сски. 10. Не сто́ит ей писа́ть: она́ не по́мнит меня́. 11. О чём говори́ли вы на уро́ке? 12. До́рого жить в Росси́и тепе́рь? 13. Все говоря́т, что о́чень до́рого. 14. Я не зна́ю, пра́вда ли э́то. 15. Ско́лько я вам до́лжен? 16. Вы мне ничего́ не должны́. 17. Должно́ быть по́здно, я до́лжен (мне на́до) идти́. 18. Не ходи́те, ещё не по́здно. 19. Вот ва́ша поку́пка. 20. Неси́те её осторо́жно. 21. С кем вы идёте? 22. Э́тот купе́ц о́чень хоро́ший продаве́ц. 23. Он всегда́ говори́т мне, что я его́ ста́рый покупа́тель. 24. Жела́ю вам споко́йной но́чи. 25. Благодарю́ вас, и вам того́ же.

LESSON X

B. 1. How is your father ? 2. Thanks, very well. 3. Why were you not at the lesson yesterday ? 4. I was ill and had to stay at home. 5. Do you know the hospital where his aunt is lying? 6. Yes, it is a very good hospital. 7. I know a doctor in that hospital. 8. He is unwell and must go home. 9. He likes to wash in cold water. 10. You must wash your hands with hot water and soap. 11. They did not (could not) wash to-day, because there was no water in the house. 12. Every morning she has to dress her sister. 13. My little sister takes a long time to dress. 14. Why do you not put on your new dress? 15. I do not like it. 16. Do you like my new costume? 17. I liked your old one better. 18. Why is this little girl crying? 19. She does not want to say "good-bye" to me. 20. And did she say "how do you do" to you? 21. No, she never says either "how do you do" or "good-bye". 22. Now she grows pale, now she turns red (or blushes): she must be unwell. 23. No, she is better to-day. 24. Do you often meet my uncle? 25. He and I used to meet every Thursday in the club. 26. Now I never meet him anywhere.

C. 1. У меня голова боли́т. 2. Она больна́. 3. Он был бо́лен. 4. Они́ бы́ли больны́. 5. Мне лу́чше. 6. Лу́чше вам? 7. Я умыва́юсь (мо́юсь). 8. Умыва́лись вы? 9. Они́ одева́ются. 10. Что вы надева́ете? 11. Я надева́ю пальто́. 12. Она́ одева́лась. 13. Она пла́чет. 14. Они́ пла́кали. 15. Я никогда́ не пла́чу. 16. Нра́вится вам это? 17. Мне эта кни́га нра́вится. 18. Они́ ему́ нра́вятся. 19. Проща́йте! 20. Я здоро́ваюсь с ва́ми. 21. Они́ здоро́ваются со мной. 22. Она красне́ет. 23. Она бледне́ет. 24. Я учу́сь. 25. Они́ у́чатся. 26. Он учи́лся. 27. Я не смею́сь. 28. Они́ смея́лись. 29. Я проща́юсь с ва́ми.

D. 1. Мне эта кни́га очень нра́вится. 2. Я очень люблю́ эту кни́гу. 3. Они́ о́чень лю́бят фру́кты. 4. Э́ти фру́кты ей не нра́вятся. 5. Почему́ она вам не нра́вится? 6. Как ва́ше здоро́вье сего́дня? or Как вы пожива́ете? 7. Спаси́бо, о́чень хорошо́.

8. Я был бо́лен всю неде́лю.   9. У меня́ ка́ждый день боле́ла голова́.   10. Лу́чше вам тепе́рь? 11. Мно́го лу́чше, спаси́бо.   12. Я никогда́ не встреча́ю ва́шего дя́дю; где он тепе́рь?   13. Он лежи́т в больни́це; он о́чень бо́лен.   14. У меня́ рука́ боли́т.   15. Я никогда́ не надева́ю э́то пальто́; оно́ сли́шком мало́.   16. Почему́ вы так до́лго одева́етесь?   17. Я люблю́ одева́ться ме́дленно. 18. Ча́сто встреча́ете вы на́шего учи́теля?   19. Я встреча́л его́ ка́ждую пя́тницу в теа́тре.   20. Я никогда́ не говори́л с ним; мы то́лько здоро́вались. 21. В како́й шко́ле вы учи́лись?   22. Я не учи́лся в шко́ле.   23. У нас была́ гуверна́нтка; мы с сестро́й учи́лись до́ма.   24. Мы изуча́ли англи́йский язы́к с ней.   25. Ма́ленькая де́вочка пла́кала.   26. Она́ не хоте́ла умыва́ться у́тром.   27. Тепе́рь она́ сама́ над собо́й смеётся.   28. Я не проща́юсь с ва́ми.   29. Ви́дел он, как вы надева́ли пальто́?   30. Я до́лжен идти́ тепе́рь, проща́йте.

LESSON XI

B. 1. Why have you not learned the lesson? 2. Because you did not give me the book. 3. Yesterday your brother was at my house (came to see me), and we had a good talk. 4. Did you speak Russian? 5. No, I thought he would not understand (follow) me. 6. He says that he understood everything you were speaking about in the class. 7. Now I shall work for an hour or two (shall do one or two hours' work), and in the evening I shall read. 8. And what will you do then (after that)? 9. Then I shall go and buy an evening paper. 10. To-day at breakfast I drank two cups of tea. 11. I met your sister in the library to-day. 12. Did you speak to her? 13. No, she went into the other room, where they read the newspapers. 14. At what o'clock (time) did you get up to-day? 15. I always get up very early, but to-day I got up at nine o'clock. 16. I had (some) breakfast and went for a walk. 17. Where will you live in summer? 18. We shall stay for a month in London and then we shall go to Moscow. 19. Where did you buy your grammar? 20. I bought it from a pupil who does not need it now. 21. Who taught you to read Russian? 22. My brother who lived for a long time in Russia. 23. What will you put on on Sunday when you go to see your grandmother? 24. How did you like the new play? 25. I liked it very much when I saw it in London. 26. You will not like it here. 27. Now I shall say good-bye and go.

C. 1. Я чита́л. 2. Он прочита́л э́то сло́во хорошо́. 3. Написа́ли вы? 4. Тепе́рь мы бу́дем писа́ть. 5. Я напишу́ это сло́во на доске́. 6. Я посиде́л немно́го. 7. Я бу́ду до́ма. 8. Меня́ не бу́дет до́ма. 9. Бу́дете вы в кла́ссе? 10. Они́ должны́ бу́дут. 11. Он бу́дет бо́лен. 12. У меня́ не бу́дет голова́ боле́ть. 13. Они́ бу́дут сиде́ть. 14. Он пошёл. 15. Я не бу́ду у́жинать. 16. Я поза́втракал. 17. Мы поговори́м. 18. Как вы бу́дете говори́ть? 19. Мы бу́дем говори́ть по-ру́сски. 20. Кто вам э́то сказа́л?

D. 1. Где вы купи́ли эту кни́гу? 2. Я купи́л её в магази́не, где я покупа́ю бума́гу и конве́рты. 3. Бу́дете вы чита́ть её сего́дня ве́чером? 4. Да, я до́лжен прочита́ть её сего́дня ве́чером. 5. Пожа́луйста да́йте её мне, когда́ вы её прочита́ете. 6. Написа́ли вы сестре́? 7. Да, я написа́л ей сего́дня у́тром. 8. Она́ писа́ла мне ча́сто, когда́ жила́ в Росси́и. 9. В кото́ром часу́ вы вста́ли сего́дня? 10. Я всегда́ встаю́ ра́но, но сего́дня я встал в де́вять часо́в. 11. Что вы де́лали по́сле за́втрака? 12. Я хоте́л пойти́ в библиоте́ку, но бы́ло сли́шком хо́лодно. 13. Я чита́л дома всё у́тро. 14. Что вы будете делать завтра вечером? 15. Мы пойдём в театр после обеда. 16. Хотите пойти с нами? 17. В котором часу вы будете завтракать завтра? 18. Когда я позавтракаю, я пойду с вами. 19. Он позавтракал и пошёл в школу. 20. Она побледнела, когда я сказал ей это. 21. Я не буду обедать дома сегодня. 22. С кем вы будете обедать в среду? 23. О чём вы говорили за обедом? 24. Все говорили о России. 25. Вчера вечером у нас был наш учитель, и мы хорошо поговорили. 26. Мы хорошо погуляли сегодня утром.

LESSON XIa

B. 1. We met for the first time at a Russian lesson. 2. If you go by (through) this street, you will be always meeting him. 3. If she goes by the field she will meet nobody. 4. Nobody will show her where to go; or There will be nobody to show her. 5. Did you like living in Moscow? 6. At first (in the beginning) we did not like it, but afterwards we liked it very much. 7. To-day a new theatre was opened in our town. 8. It is cold here, I shall shut the window. 9. In summer the library will be closing early. 10. In winter it closed at nine o'clock. 11. At what time do you begin your work? 12. I always begin at eight, but to-day I began late. 13. In summer I shall not begin so early. 14. I have ordered a coat for myself in your shop. 15. The assistant showed me two or three suits (costumes). 16. She has not yet left school. 17. When I leave school I shall go to Russia and shall spend the whole winter there. 18. Where will you live? 19. I shall live with my brother; he has been living in Moscow for two years already. 20. My brother was punished at school to-day. 21. He said that he would not go to that school again. 22. When the lesson is finished I shall tell you the time. 23. After the lesson we shall go and have coffee. 24. I shall take you to a new café which has just been opened. 25. I shall not refuse a cup of coffee. 26. But to-day *I* shall order the coffee. 27. All right, we shall see.

C. 1. Я встре́тил его́ вчера́.   2. Я сейча́с узна́ю.
3. Он прика́зывает.   4. Он приказа́л.   5. Она́
заказа́ла пальто́.   6. Он пока́зывал ей.   7. Мы
открыва́ем дверь.   8. Вы закры́ли окно́.   9. Он
рассказа́л мне ска́зку.   10. Тепе́рь я начну́.   11. Вы
никогда́ не ко́нчите.   12. Я позвони́л.   13. Вы
бу́дете до́лго звони́ть.   14. Звоно́к не звони́т.
15. Они́ разгова́ривали (говори́ли).   16. Мы сейча́с
ко́нчим.   17. Они́ ещё не ко́нчили.   18. Я встал.
19. Мы встава́ли.   20. Мы вста́нем за́втра.

D. 1. Я встреча́л его́ в библио́теке.   2. Мы
встре́тимся за́втра в клу́бе.   3. Как вам понра́ви-
лась но́вая карти́на?   4. Я ви́дел её вчера́ в пе́рвый
раз, и она́ мне о́чень понра́вилась.   5. Ско́лько
сда́чи он дал вам вчера́?   6. Снача́ла он не хоте́л
дава́ть мне сда́чи.   7. Прочита́ли вы ва́шу но́вую
кни́гу?   8. Я ещё не ко́нчил её, *or* не прочита́л.
9. Когда́ я прочита́ю её, я дам её ва́шей сестре́.
10. Я не знал, что уро́к уже́ начался́.   11. Я не
слы́шал что он вам говори́л.   12. Когда́ вы ви́дели
моего́ дя́дю?   13. Я ви́дел его́ вчера́; он говори́л с
на́шим учи́телем.   14. Она́ никогда́ не ви́дела моего́
дя́дю.   15. А я ду́мал, что она́ не узна́ла его́, когда́
мы (my uncle and I) встре́тили её.   16. Зна́ете вы
почему́ теа́тр закры́т?   17. Нет, но я узна́ю, когда́
пойду́ за поку́пками.   18. Почему́ вы закры́ли окно́?
19. Потому́ что мне бы́ло хо́лодно.   20. Кто мне
откро́ет дверь, е́сли никого́ не бу́дет до́ма?   21. Я
бу́ду до́ма весь ве́чер, и я услы́шу звоно́к.   22. Здесь
сли́шком тепло́, вы должны́ откры́ть окно́.   23. Я
не дочита́л э́ту кни́гу: она́ мне не понра́вилась.

24. Я скажу́ вам кото́рый час, когда ко́нчу писа́ть (допишу́). 25. Я хочу́ купи́ть но́вую шля́пу; я пойду́ в магази́н по́сле обе́да. 26. Прика́зчик пока́жет мне три и́ли четы́ре шля́пы. 27. Е́сли они́ не бу́дут сто́ить сли́шком до́рого, я куплю́ две. 28. Мы весь ве́чер говори́ли по-ру́сски. 29. Она́ отказа́лась отве́тить на вопро́с.

LESSON XII

B. 1. Be so kind and tell me how to read this word. 2. Read it slowly and you will see that it is not so difficult. 3. He did not answer the question, but he did not want to say that he did not understand. 4. Think a little and then answer. 5. If you do not know, ask the teacher and he will explain it to you. 6. Finish this lesson, and then we shall begin a new story. 7. This is a very good tale; my little sister liked it very much. 8. Write to him, please, that there will be no lesson to-morrow. 9. Don't tell your little brother that you are going to the theatre; he will want to go too, and (but) the play is not for him. 10. Don't ask every word, look up the dictionary. 11. Don't begin a new lesson without me, I shall explain it to you. 12. Go to France this summer, you will like it there. 13. You asked me a very difficult question. 14. It is not easy to answer it. 15. Repeat once more, I did not hear what you said. 16. Don't think that the Russian language is very difficult. 17. Don't pay to-day, you will pay another time. 18. Ask him to take a seat in the dining-room. 19. Is it not heavy for you to carry such a big dictionary ? 20. Your friend is in Russia now; send him a post-card. 21. Ask him to send you a Russian newspaper. 22. Count up, please, how much I owe you for the books. 23. Here is the account; ten shillings in all. 24. Play this, I want to hear you play. 25. If they do not open the door to you, ring again. 26. Don't cry, child, do not cry in vain (Lermontov). 27. I shall give you this book in a week when we all have read it. 28. Order your coat at our tailor's. 29. Don't talk so long in the hall. 30. Let us go into the dining-room.

C. 1. Будь так добр. 2. Бу́дьте так добры́. 3. Спроси́те его́. 4. Не спра́шивайте меня. 5. Да́йте мне.... 6. Не дава́йте ей.... 7. Поди́те сюда́. 8. Пошли́те ему́. 9. Пришли́те мне.... 10. Не повторя́йте. 11. Повтори́те. 12. Позови́те его́ сюда́. 13. Не пла́чьте. 14. Не сме́йтесь. 15. Сосчита́йте. 16. Не счита́йте. 17. Он повто́рит оди́н раз. 18. Не забу́дьте. 19. Сде́лайте это для меня́, пожа́луйста. 20. Напиши́те э́то сло́во. 21. Прочита́йте э́то сло́во. 22. Скажи́те мне, где она́. 23. Отве́тьте на мой вопро́с. 24. Поду́майте немно́го. 25. Молчи́те!

D. 1. Пожа́луйста, отве́тьте на мой вопро́с. 2. Это не тру́дный вопро́с, поду́майте немного. 3. Не е́здите в го́род трамва́ем, поезжа́йте по́ездом. 4. Прочита́йте этот расска́з, это о жи́зни в Росси́и. 5. Когда́ вы прочита́ете его́, дайте его́ мое́й сестре́. 6. Почему́ вы не присла́ли мне откры́тку? 7. Потому́ что у меня́ не́ было откры́тки до́ма. 8. Спроси́те её, бу́дет ли она до́ма за́втра ве́чером. 9. Спроси́те у него́, кото́рый час. 10. Не спра́шивайте меня́ о Москве́, я давно́ там не́ был. 11. Не дава́йте ко́фе тако́й ма́ленькой де́вочке; да́йте ей молока́. 12. Она́ не лю́бит молока́; она всегда́ про́сит ча́ю или ко́фе. 13. Почему́ вы спра́шиваете меня́? — вы зна́ете как сказа́ть это по-ру́сски. 14. Я хочу́ попроси́ть вас сделать это для меня́. 15. Наде́ньте тёплое пальто́, тепе́рь хо́лодно. 16. Я хочу́ знать, ско́лько у нас бы́ло уро́ков. 17. Сосчита́йте (их). 18. Сыгра́йте эту сона́ту; я о́чень люблю́ её. 19. Пожа́луйста, почита́йте немно́го; я хочу́ слы́шать (послу́шать), как вы чита́ете. 20. Не носи́те это пла́тье; оно́

вам не идёт.   21. Они были в теа́тре в понеде́льник,
а на друго́й день не́ были на уро́ке.   22. Пожа́луйста,
объясни́те э́то нам.   23. Я объясню́ э́тот уро́к в
сле́дующий (*or* друго́й) раз.   24. Пришли́те мне
откры́тку, когда́ вы бу́дете жить в Ленингра́де.
25. Не забу́дьте спроси́ть меня́ об э́том за́втра.
26. Поезжа́йте в Ло́ндон через неде́лю, и я пое́ду
с ва́ми.   27. Попроси́те их в столо́вую.

LESSON XIII

B. 1. At what time do you come to the lesson? 2. We come
at seven o'clock and leave at nine. 3. Why did you not come
for a lesson yesterday? 4. I went away to (was at) my sister's
and returned only this morning. 5. Then come to-morrow at
six o'clock. 6. Why must you leave so early to-day? 7. Because
to-morrow morning I am going to meet a friend of mine.
8. The train from London arrives at seven in the morning. 9.
I have to be at the station before the arrival of the train.
10. When is your sister's husband going away? 11. He is not
going away until Wednesday. 12. When are you going (leaving
for) south? 13. We shall leave on the 5th of January and shall
stay (live) there till the end of March. 14. I did not know you
were going for such a long time. 15. Call on us before going to
France. 16. When the wind is from the west it always rains.
17. London is in the south of England, and Edinburgh in the
east of Scotland. 18. Who was that young woman you were
talking with at the door of the theatre? 19. It was my brother's
wife; why did you not come over to us? 20. Did you find your
way home? 21. No, I had to ask a policeman. 22. My friend's
husband has gone to France for a year, and she is going to
stay with me now. 23. What will he bring her from Paris?
24. Don't forget to bring (remember to bring) your grammar
to-morrow. 25. To-morrow I shall bring my sister to the lesson.
26. She also wants to study Russian. 27. She called for me, and
we went for a stroll in the town. 28. Now I must go (I'll need
to be going); they will be waiting for me at home.

C. 1. Он пришёл домой. 2. Она всегда приходит. 3. Мы уезжаем. 4. Они выехали в три часа. 5. Приходите к нам. 6. Я выйду. 7. Принесите книгу. 8. Он привёз это из Франции. 9. Что вы привозите из Лондона? 10. Приведите сестру. 11. Я всегда приношу карандаш. 12. Не ходите (не уходите). 13. Она выходит из комнаты. 14. Она вышла из комнаты. 15. Он нашёл билет. 16. Я не найду. 17. Что вы нашли? 18. Кто пришёл? 19. Они не пришли. 20. Он ждёт. 21. Чего мы ждём? 22. Они будут долго ждать.

D. 1. Когда вы приехали из Лондона? 2. Я приехал вчера вечером в десять часов. 3. Я выехал из Лондона в два часа дня. 4. Будете вы каждый день приходить на урок? 5. Нет, только три раза в неделю. 6. Принесите с собой бумагу и перо или карандаш. 7. Что вы привезёте мне из России? 8. Когда отец ездил в Россию, он привёз мне русский самовар. 9. Сегодня утром приехал товарищ брата. 10. Он ходил на станцию встречать его. 11. Он ждал поезда около часа. 12. Кто этот старый человек, что стоит у подъезда? 13. Это отец моего товарища; он уезжает завтра на восток. 14. Жили вы на востоке? 15. Нет, но я поеду туда зимой. 16. Сегодя холодно, потому что ветер (дует) с севера. 17. В моей комнате (у меня в комнате) тоже холодно, потому что окно выходит на восток. 18. Нашли вы ключ? — я видел его под стулом. 19. Где мне найти городового, если я захочу спросить дорогу на станцию? 20. Приходите к нам завтра обедать. 21. Зайдите за мной, когда вы пойдёте на урок.

22. Я зайду́ к вам пе́ред отъе́здом.   23. Вы с бра́том надо́лго уезжа́ете?   24. Нет, то́лько на ме́сяц. 25. Как темно́ здесь; где вы́ход?   26. Он на друго́м конце́ за́ла; я вам покажу́.   27. Спаси́бо; тепе́рь пойдём.

LESSON XIIIa

B. 1. I write down everything that the teacher explains. 2. Write down my address. 3. Have you a notebook? 4. He has always a notebook in his pocket. 5. Have you read Turgenev? 6. Yes, but only in translation. 7. You will soon read him in Russian. 8. Who translated Shakespeare into Russian? 9. The Russian poet Balmont translated Shelley very well. 10. Give me your translation, I shall copy it for you. 11. My friend (chum) is in Moscow now. 12. We write to each other very often. 13. Listen to this pupil when he speaks Russian. 14. He has a very good pronunciation. 15. When are you moving to town? 16. In winter we shall remove to London. 17. It is very dark here; I cannot read. 18. This is a very difficult word; she will not be able to read it. 19. Who helped you to write this letter in Russian? 20. Nobody helped me, I have been able to write Russian for a long time. 21. Will you find your way home without my help? 22. I may not be able to come for a lesson to-morrow. 23. Let me know, please. 24. All right, I shall send you a note. 25. We take two magazines and three newspapers. 26. He is not allowed to smoke; he was ill for a long time in the winter. 27. Allow me not to copy this translation. 28. My father smokes only very expensive tobacco.

C. 1. Я перепи́сываю.   2. Мы перепи́сываемся. 3. Он переписа́л.   4. Она перево́дит.   5. Вы бу́дете переводи́ть.   6. Запиши́те.   7. Перепиши́те э́то. 8. Подпиши́тесь.   9. Я подписа́л.   10. Он помога́ет отцу́.   11. Вы помога́ли.   12. Я вам помогу́.   13. Помогите! 14. Он никогда не помогает. 15. Перевели вы? 16. Я помогу вам перевести. 17. Вы хорошо произносите. 18. Налейте, пожалуйста. 19. Она наливает. 20. Он пролил молоко. 21. Вы не курите. 22. Она закурила папиросу. 23. Я не буду переписывать этого.

D. 1. Дайте мне ваш адрес, и я буду писать вам каждую неделю. 2. Дайте мне знать, когда вы можете прийти. 3. Мы все подпишем это письмо. 4. Перепишите этот перевод ещё раз. 5. С кем вы переписываетесь в Москве? 6. Мой товарищ живёт там три года, и он часто мне пишет. 7. Как вы произносите это длинное слово? 8. Читайте каждую букву медленно, и вы очень легко его прочитаете. 9. Русское произношение не очень трудно. 10. Кто привёз вам эту шляпу из Парижа? 11. Жена брата ездила во Францию весной и привезла мне две шляпы. 12. Когда переехали они на новую квартиру? 13. Их старая квартира была слишком мала, и они переехали в новый дом в мае. 14. Можете вы прочитать эту книгу в один день? 15. Какую газету вы выписываете? 16. Я не выписываю газеты; я хожу читать в библиотеку. 17. У этой газеты много подписчиков. 18. Помогите мне перевести это письмо. 19. Когда вы его получили? 20. Кто будет вам помогать, когда я уеду? 21. Без вашей помощи я не смогу прочитать его. 22. Кто у вас в конторе подписывает бумаги? 23. Когда меня нет, мой помощник подписывает их. 24. Это очень хороший перевод Пушкина. 25. Я хочу выписать эту книгу из Москвы. 26. Я не могу

купи́ть её здесь. 27. Я не знал, что ему́ позволя́ют
выпи́сывать газе́ту из Росси́и. 28. Подпиши́те э́то
письмо́, пожа́луйста, я хочу́ отосла́ть его́ сего́дня
ве́чером. 29. Я ду́маю, что вы должны́ бу́дете
переписа́ть э́то письмо́.

LESSON XIV

B. 1. On what days do you come to town? 2. On Tuesdays
and Thursdays. 3. Do you like skating? 4. Yes, very much,
but I skate very seldom. 5. When we lived in Moscow we often
went both skating and sledging. 6. To what towns did you go
when you were in Russia? 7. We were in Leningrad, in Moscow
and in all the big towns on the Volga. 8. What Russian writers
did the teacher recommend you to read? 9. He always advises
us to read Tolstoi. 10. Come and see me to-night, and we shall
have a talk about some other writers. 11. I have got very much
interested in this book. 12. There were very good reviews of it
in all the magazines. 13. You can get this book in all the libraries.
14. Russia is now called the Union of Soviets or the Soviet Union.
15. Now people often say: "I am going to the Union." 16. There
are seven [1] republics in the Soviet Union. 17. Russia is one of
them. 18. The seven together are called: the Union of Soviet
Socialist Republics. 19. This is a very long name, therefore it
is usually written U.S.S.R. (in Russian C.C.C.P.). 20. I want
very much to go to Russia, but I have no money. 21. If you
want to live in Moscow you can give English lessons there.
22. You have many Russian friends, therefore it is easy for you
to speak Russian. 23. Who is this young man? 24. He is my
brother, allow me to introduce you. 25. Have you no black ink,
I do not like to use blue. 26. And I cannot write at all, I left
(forgot) my spectacles at home. 27. Yes, it is not very light here,
it is difficult to write without glasses. 28. I have told you all
the news. 29. We have had a very interesting talk.

[1] There are now sixteen republics in the Soviet Union.

C.

Nom.	рýсск-ие учителя́		рýсск-ие кни́г-и		рýсск-ие слов-á	
Gen.	„ их	„ ей	„ их кни́г-		„ их слов-	
Dat.	„ им	„ я́м	„ им	„ ам	„ им	„ а́м
Acc.	„ их	„ ей	„ ие	„ и	„ ие	„ á
Instr.	„ ими	„ я́ми	„ ими	„ ами	„ ими	„ á́м.
Prep.	о „ их	„ я́х	о „ их	„ ах	о „ их	„ áх

Nom.	жáрк-ие дн-и́		горя́ч-ие печ-и́		мо-й зóлот-ые пéрь-я		
Gen.	„ их	„ ей	„ их	„ ей	„ их	„ ы́х	„ ев
Dat.	„ им	„ ям	„ им	„ а́м	„ им	„ ы́м	„ ям
Acc.	„ ие	„ и	„ ие	„ и	„ й	„ ы́е	„ я
Instr.	„ ими	„ я́ми	„ ими	„ а́ми	„ ими	„ ы́ми	„ ям
Prep.	о „ их	„ ях	о „ их	„ а́х	о „ их	„ ы́х	„ ях

Nom.	дóбр-ые мáльчик-и		бéдные дéвоч-ки		больши́е пол-я́	
Gen.	„ ых	„ ов	„ ых	„ ек	„ и́х	„ éй
Dat.	„ ым	„ ам	„ ым	„ кам	„ и́м	„ я́м
Acc.	„ ых	„ ов	„ ых	„ ек	„ и́е	„ я́
Instr.	„ ыми	„ ами	„ ыми	„ ками	„ и́ми	„ я́м
Prep.	о „ ых	„ ах	о „ ых	„ ках	о „ и́х	„ я́х

Nom.	нáш-и стáр-ые домá			стáр-ые дáмы		
Gen.	„ их	„ ых	„ óв	„ ых дам-	
Dat.	„ им	„ ым	„ áм	„ ым	„ ам
Acc.	„ и	„ ые	„ á	„ ых дам-	
Instr.	„ ими	„ ыми	„ áми	„ ыми	„ ами
Prep.	о „ их	„ ых	„ áх	о „ ых	„ ах

Nom.	стáр-ые дерéв-ья		си́н-ие карандаш-и́	
Gen.	„ ых	„ ьев	„ их	„ ей
Dat.	„ ым	„ ьям	„ им	„ áм
Acc.	„ ые	„ ья	„ ие	„ й
Instr.	„ ыми	„ ьями	„ ими	„ áми
Prep.	э „ ых	„ ьях	о „ ях	„ áх

Nom.	мо-й	си́ние	шля́п-ы		син-ие	моря́
Gen.	„ и́х	„ их	шляп-		„ их	„ е́й
Dat.	„ и́м	„ им	„ ам		„ им	„ я́м
Acc.	„ и́	„ ие	„ ы		„ ие	„ я́
Instr.	„ и́ми	„ ими	„ ами		„ ими	„ я́ми
Prep. о	„ и́х	„ их	„ ах	о	„ их	„ я́х

Nom.	ма́леньк-ие	о́кна		ва́ш-и	больш-и́е	комнат-ы
Gen.	„ их	око́н		„ их	„ и́х	ко́мнат-
Dat.	„ им	о́кнам		„ им	„ и́м	„ ам
Acc.	„ ие	о́кна		„ и	„ и́е	„ ы
Instr.	„ ими	о́кнами		„ ими	„ и́ми	„ ами
Prep. о	„ их	о́кнах		„ их	„ и́х	„ ах

D. 1. В на́шем го́роде мно́го хоро́ших магази́нов. 2. Она́ всегда́ но́сит больши́е шля́пы. 3. Люби́те вы покупа́ть кни́ги? 4. Я хочу́ купи́ть не́сколько ру́с-ских книг, но у меня́ нет де́нег. 5. Ви́дели вы но́вые дома́ на на́шей у́лице? 6. Да, я ви́дел их, но никогда́ не́ был в э́тих дома́х. 7. Брат говори́л, что в них о́чень хоро́шие больши́е ко́мнаты. 8. Ско́лько око́н в ко́мнате ва́шей сестры́? 9. В ней три больши́х окна́; все три выхо́дят в сад. 10. Мно́го у вас знако́мых в Ло́ндоне? 11. Да, у меня́ мно́го зна-ко́мых там; вот почему́ я люблю́ е́здить туда́. 12. По суббо́там я хожу́ ката́ться на конька́х. 13. Если у вас нет конько́в, я дам вам свой. 14. Спаси́бо, вы о́чень любе́зны. 15. Позво́льте познако́мить вас с мои́м отцо́м. 16. Он вам расска́жет о свои́х пое́здках в Росси́ю. 17. Он был там не́сколько раз. 18. Как фами́лия э́того молодо́го челове́ка? 19. Ста́рые лю́ди лю́бят сове́товать молоды́м. 20. Я записа́л фами́лии всех ученико́в. 21. Ско́лько но́вых ученико́в в кла́ссе? 22. За́втра приду́т шесть но́вых учеников. 23. Который час? в комнате нет часов. 24. Мои часы идут очень хорошо. 25. Как называется магазин, где вы купили их? 26. Я всегда вам рад (рад вас видеть). 27. Что нового (какие новости) в газетах? 28. Я расскажу вам все новости после обеда. 29. Она всегда хотела быть учительницей. 30. Я хорошо понимаю, почему его считают авторитетом в этом вопросе (по этому вопросу).

LESSON XV

B. 1. Their house is newer than ours. 2. They live in a newer house. 3. Our street is longer than yours. 4. My room is smaller than his. 5. We live nearer to school than you. 6. I came to school earlier than other pupils. 7. Her hat is prettier and lighter than mine. 8. It is easier for your little sister to read Russian than for you. 9. Her sisters go to a more expensive school. 10. She has no younger sisters. 11. Here is (this is) the most beautiful house in town. 12. He has a very clever wife. 13. Who is the best pupil in the class? 14. This one, the smallest boy; he is the youngest (younger than anybody else). 15. This year we have more pupils in the school (there are more pupils in our school). 16. Read a little (a bit) louder, please. 17. He has a louder voice than she has. 18. The Russian language is not more difficult than the English. 19. Is it easier for you to speak Russian now? 20. Yes, I know more words now. 21. We get (receive) all the latest (newest) magazines. 22. This newspaper comes out more seldom (does not come out so often) now. 23. This is the highest mountain in the world. 24. Come quickly, please, I can wait no longer. 25. Give my kind regards to your sister. 26. He sent (sends) you his kindest regards.

C. милее, дороже, дешевле, выше, ниже, светлее, темнее, лучше, хуже (плоше), холоднее, горячее, ближе, дальше, скорее, медленнее, чаще, реже, ра́ньше, по́зже (поздне́е), гро́мче, ти́ше, бо́льше ме́ньше, длинне́е, коро́че.

D. 1. Его́ пальто́ коро́че моего́. 2. Эта кни́га нове́е ва́шей. 3. Я купи́л са́мую дорогу́ю кни́гу. 4. Кака́я ближа́йшая ста́нция? 5. Кака́я лу́чшая библиоте́ка в го́роде? 6. Эта ко́мната длинне́е на́шей. 7. Слы́шали вы после́дние но́вости? 8. Мне говори́ли, что в э́том магази́не мо́жно получа́ть нове́йшие газе́ты. 9. Кто вы́ше — вы и́ли я? 10. Вы вы́ше меня́. 11. Вам ле́гче говори́ть по-ру́сски, потому́ что вы жи́ли в Росси́и. 12. Кто пока́жет мне кратча́йший путь? 13. Ры́ба доро́же мя́са тепе́рь. 14. В э́том магази́не шля́пы дешёвле. 15. Вы чита́ете лу́чше его́ сестры́ or чем его́ сестра́. 16. Она́ игра́ет на скри́пке лу́чше, чем на роя́ле. 17. Они́ прихо́дят на уро́к ра́ньше всех. 18. Почему́ вы не пришли́ ра́ньше? 19. Мне ле́гче писа́ть тепе́рь. 20. Пре́жде бы́ло трудне́е. 21. Она́ чита́ет лу́чше всех. 22. У неё нет ни мале́йшего акце́нта. 23. Они́ бо́льше не хо́дят в теа́тр. 24. Он лю́бит теа́тр лу́чше всего́. 25. Он чита́ет по-ру́сски бо́льше всех в кла́ссе. 26. Приходи́те к нам по-ча́ще. 27. Иди́те скоре́е! 28. Это ближа́йшая доро́га на ста́нцию.

LESSON XVI

B. 1. Will you have time to translate this page ? 2. Last week I had not a single free day. 3. Do this for me when you have time. 4. I have too much to do next week. 5. He has no opportunity to go abroad. 6. Soon we shall have a telephone. 7. I always wanted to have a telephone in the house. 8. There is no bath in this flat. 9. My friends have a house (of their own)

in London.   10. They have been living in their (own) house for
a long time.   11. I have never been in their new house.   12. He
cannot work in his room.   13. I can write only with my own pen.
14. His hat is too small for me.   15. He says that he is selling
his house.   16. He himself told me so.   17. She made this dress
herself.   18. My sisters do everything in the house themselves.
19. Give this letter to him personally.   20. He does not feel like
going to the theatre to-day.   21. It seems to her that he is dis-
pleased with his work.   22. Everybody is pleased with his work.
23. To-day I suddenly (felt like listening to some singing) wanted
to hear some singing.   24. I rang up my friend, and we went to
a concert.   25. We spent the evening very pleasantly.   26. After
the concert my friend saw (accompanied) me home.   27. She
seemed to be very pleased with the concert.   28. I am happy to
think (I think with pleasure) that next week the drama is coming.
29. They speak Russian fluently now.   30. Did you see the pro-
cession with red flags to-day?   31. It was getting dark when
we arrived home. (Tolstoi.)   32. It is dawn, my friend, let us
set to work; or, The day is breaking ... (Omulevski.)

C.   1. Ему́ ка́жется.   2. Я каза́лся вам....   3. Мы
е́дем за-грани́цу.   4. Я о́чень дово́лен.   5. Мы
бу́дем дово́льны.   6. Она́ недово́льна.   7. Его́ осво-
боди́ли.   8. Их освободи́ли.   9. На э́той неде́ле я
свобо́ден.   10. Он уезжа́ет в э́том году́.   11. В
про́шлом году́.   12. В про́шлое воскресе́нье.   13. В
бу́дущую суббо́ту.   14. В э́тот понеде́льник.   15. У
нас есть (мы име́ем).   16. У вас нет (вы не име́ете).
17. У вас не бу́дет (вы не бу́дете име́ть).   18. Нет
ли у вас?   19. Не́ было ли у неё?   20. У нас ничего́
не́ было.   21. Нам хо́чется.   22. Им хо́чется.   23. Кто
меня́ проводи́т домо́й?   24. Он провожа́ет её.   25. Я
провёл два часа́.

D.   1. У меня́ не бу́дет вре́мени на бу́дущей неде́ле.
2. У меня́ сли́шком мно́го де́ла.   3. На бу́дущей

неде́ле он е́дет в Ло́ндон по де́лу.   4. По́сле э́того
он бу́дет свобо́ден це́лый ме́сяц.   5. На про́шлой
неде́ле я име́л удово́льствие встре́тить ва́шего отца́.
6. Мы встреча́лись не́сколько раз за-грани́цей.   7. В
каки́х стра́нах за-грани́цей вы бы́ли?   8. Нра́вятся
вам иностра́нцы?   9. Чем вы недово́льны?   10. Моя́
сестра́ о́чень дово́льна, что в бу́дущем году́ е́дет
за-грани́цу.   11. Как до́лго жи́ли вы за-грани́цей?
12. Мы давно́ не́ были за-грани́цей.   13. Уже́ смер-
ка́лось, и я до́лжен был идти́ домо́й.   14. Оте́ц не
лю́бит проводи́ть вечера́ оди́н.   15. Мне ка́жется,
что днём у него́ сли́шком мно́го де́ла.   16. Он всегда́
сиди́т в свое́й ко́мнате (*or* у себя́).   17. У него́ в
ко́мнате не о́чень тепло́.   18. Есть у вас (име́ете вы)
возмо́жность рабо́тать в библио́теке?   19. В на́ших
библио́теках о́чень ма́ло иностра́нных книг.   20. Он
дово́льно стар.   21. У него́ не́сколько имён.   22. У
них дом на друго́й стороне́ у́лицы.   23. Он всю
жизнь жил в э́том до́ме.   24. Свобо́дны вы сего́дня
ве́чером?   25. Мне хо́чется пойти́ в теа́тр; хоти́те
пойти́ со мно́й?   26. С удово́льствием.   27. Я иду́
по де́лу; проводи́те вы меня́?   28. Когда́ я шёл на
слу́жбу (*or* на рабо́ту), я ви́дел большу́ю толпу́; они́
несли́ кра́сное зна́мя.   29. Я конча́ю после́днюю
страни́цу кни́ги, кото́рую вы мне да́ли.   30. Мо́жно
мне прийти́ на бу́дущей неде́ле? — Нет, нельзя́.
31. Я не могу́ не ра́доваться, что на́ши друзья́
за́втра бу́дут здесь.   32. Нельзя́ не согласи́ться,
что э́то то́лько справедли́во.   33. Позвони́те мне,
е́сли вы бу́дете свобо́дны за́втра.   34. Мо́жно мне
привезти́ все мои́ кни́ги, когда́ я прие́ду жить с
ва́ми?   35. Коне́чно мо́жно, в ва́шей ко́мнате есть

большой книжный шкаф. 36. В нём довольно места
для всех ваших книг. 37. Мне не верится, что
время прошло так быстро. 38. Он сам записал
своё имя в книгу.

LESSON XVII

B. 1. The morning papers are always (lying) in the dining-
room. 2. Who puts them there? 3. To-day the maid put the
newspapers into my sister's room. 4. When do you go to bed?
5. Usually rather early, but yesterday we all went to bed late.
6. In whose room is the piano (standing) now? 7. Who put it
there? 8. He always leaves (puts) his stick in the corner.
9. Bring (place) your chair to (at) the table and sit beside me.
10. Do not lie down on this sofa. 11. The horse and the cow are
domestic animals, but the wolf and the bear are wild (beasts).
12. I like travelling by sea and not by land. 13. Fox fur is
dearer than wolf. 14. In autumn the days become shorter.
15. The days were growing shorter. (Pushkin.) 16. Everybody
became silent, and in the room it was as still (quiet) as in church.
17. They came in and sat in a row. 18. Do not sit on this chair.
19. What did you plant in your garden? 20. Do not put the
children so near the fire. 21. His mother has many children.
22. She has four daughters and three sons. 23. Place the brother
beside his sister. 24. This young man's father works in the
bank. 25. By which route did you go to Russia? 26. We went
by sea, through the Kiel Canal. 27. Her little daughter goes
to the kindergarten. 28. She does not like going alone because
she is afraid of dogs. 29. Whose pen are you writing with? I
am writing with my brother's pen, I have not got one of my own.
30. Russian children like stories about the wolf, the bear and the
sly fox. 31. The maid has laid the table: she has put out the
spoons, the knives and the forks, but she has not put out the
plates. 32. The motor-car drove up and we went and took (to
take) our seats. 33. I was thinking of the man in whose hands
my fate was. (Pushkin.)

C. 1. Я кладу руку на стол. 2. Вы поставили
свой стул к столу. 3. Посадите маленькую девочку

на высо́кий стул.   4. Я посади́л о́вощи.   5. Поло-
жи́те свою́ шля́пу на стол.   6. Ся́дьте.   7. Вста́ньте.
8. Он лёг.   9. Она́ се́ла.   10. Мы ся́дем.   11. Вы
ля́жете.   12. Вы легли́.   13. Что вы посади́ли в
саду́?   14. Я ложу́сь (я иду́) спать.   15. Они́ легли́
спать.   16. Вы ля́жете спать.   17. Не ложи́тесь
спать.   18. Не сади́тесь на э́тот стул.   19. Ляг,
ля́гте.   20. Не ста́вьте свою́ па́лку сюда́.   21. Не
клади́те свою́ кни́гу на мою́.   22. Не сажа́йте ово-
ще́й в э́том году́.   23. Она́ накрыва́ет на стол.   24. Вы
накры́ли на стол.   25. Я поста́вил ча́шку на стол.
26. Она́ поста́вила таре́лку в шкаф (буфе́т).

D. 1. Ма́ленькие де́ти ложа́тся спать в шесть
часо́в.   2. Когда́ они́ жи́ли на мо́ре, они́ не ложи́лись
так ра́но.   3. Кто поста́вил э́тот стул к огню́?
4. Я ся́ду по́дле вас (or ря́дом с ва́ми), потому́ что я
не принёс свою́ кни́гу.   5. Мо́жно мне положи́ть
свои́ кни́ги сюда́?   6. Коне́чно, всегда́ клади́те
туда́ всё, что вам не ну́жно.   7. Служа́нка накры-
ва́ет на стол; она́ ста́вит таре́лки, но она́ забы́ла
положи́ть ви́лки.   8. Где мне поста́вить зо́нтик?
9. Поста́вьте его́ в пере́днюю.[1]   10. Если я поставлю
его́ туда́, я забу́ду его́.   11. Если вам хо́лодно,
ся́дьте бли́же к огню́.   12. На́ша ко́шка всегда́ сиди́т
пе́ред огнём.   13. Тепе́рь ра́но темне́ет; ле́то прошло́.
14. Когда́ мы путеше́ствовали на се́вере, мы ложи́-
лись спать по́здно, потому́ что всю ночь бы́ло светло́.
15. Мы привезли́ с собо́й прекра́сный ли́сий мех.
16. Где слу́жит ваш дя́дя тепе́рь?   17. Он слу́жит в
конто́ре, и он ухо́дит на слу́жбу ра́ньше всех в
до́ме.   18. В чьей конто́ре он слу́жит?   19. Конто́ра

[1] Prepositional case may also be used when the meaning is
somewhere within the hall, etc.

принадлежи́т англи́йской фи́рме, и он слу́жит там уже́ де́сять лет. 20. У них отли́чный поря́док в конто́ре. 21. Но он прихо́дит со слу́жбы по́здно ве́чером. 22. Что ста́ло с ва́шим дру́гом (прия́телем), кото́рый е́здил (пое́хал) в Росси́ю? 23. Он всё ещё там, но в бу́дущем году́ он прие́дет домо́й на ле́то. 24. Нра́вится ему́ жить там? 25. Он присла́л очень интере́сное письмо́ на про́шлой неде́ле. 26. Он пи́шет, что они уби́ли медве́дя. 27. Он привезёт домо́й медве́жью шу́бу.

LESSON XVIII

B. 1. Do not put off till to-morrow what you can do to-day. 2. I want to postpone my departure for a week. 3. He strides boldly straight to the shore. (Lermontov.) 4. At last the same coach that had brought me took us back to our lodgings. (Aksakov.) 5. Now I must tell where they had brought me. (Aksakov.) 6. Let us decide nothing in haste. 7. Go straight on, then to the right, and you will come out at the station. 8. He wants to do everything his own way. 9. At first we lived upstairs and then moved downstairs. 10. Do not look back, always look forward. 11. The house seemed better outside than it was inside. 12. Only much later we understood why it was so and not otherwise. 13. What made him leave everything and go away? 14. You don't grow a bit older. 15. I did tell you before about it, did I not? 16. My father has grown much older during the last two years. 17. My brother was offered very interesting work. 18. He probably cannot decide what answer to give. 19. He is retired and is living in the country now. 20. I never go shopping; everything is delivered at the house. 21. I was told in the library that they would put all the new books aside for me. 22. Put your chair away from the door; there is a draught from it. 23. Yesterday all the furniture in our house was moved round; I did not recognize my own room. 24. I like to travel by the night train; it is a through train. 25. I did not know that you had changed your lodgings again (moved to a new flat). 26. Leave me your address, and I shall write to you without fail. 27. Although it was stuffy (for sleeping), I slept soundly. (Lermontov.) 28. Everyone was very pleased to hear that she has married your brother. 29. How long has she been married? 30. Whom am I to marry? (Griboyedov.)

C. 1. Я всегда сижу впереди. 2. Идите (иди) вперёд. 3. Я живу наверху. 4. Мы идём вниз. 5. Не ходите наверх. 6. Лодка лежала набоку. 7. Он ничего не откладывает. 8. Она отложила это. 9. Она уложила свои книги. 10. Они укладываются. 11. Начинать снова. 12. Они начали снова. 13. Я складываю свои бумаги. 14. Сложите свои книги. 15. Он их складывает. 16. Она вкладывает письмо. 17. Я не вложил его. 18. Я вставил новое перо. 19. Она вставляет новое перо. 20. Она выходит замуж. 21. Она вышла замуж. 22. Она замужем. 23. Он женился три года тому назад. 24. Она замужем пять лет.

D. 1. Отложите для меня эту шляпу, пожалуйста; я зайду через полчаса. 2. Можно мне отложить урок до завтра? 3. Придите на будущей неделе непременно. 4. Кто доставляет вам газету? 5. Я сам покупаю газету, когда хожу в контору. 6. Учитель заставил меня переписать всё снова. 7. Сперва мы пообедали, потом пошли в театр, и наконец в кофейню. 8. Наш новый театр очень красив и снаружи, и внутри. 9. За последние три года мой брат женился и сестра вышла замуж. 10. За кем она замужем? 11. Когда она вышла замуж? 12. На ком он женился? 13. На ком он женат? 14. Он делает всё по-своему. 15. По-моему вы должны

сами решить.   16. Я хочу переменить мою книгу
сегодня вечером, иначе будет слишком поздно.
17. Представьте меня вашему старшему брату. (По-
знакомьте меня с вашим старшим братом).   18. Что
вы решили делать (сделать)?   19. Я пойду наверх
и буду читать (почитаю) там до обеда.   20. Я буду
ждать (подожду) вас внизу в столовой.   21. Здесь
очень душно, пойдём (пойдёмте) наружу.   22. Подите
сюда и скажите мне, что заставило вас передумать.
23. Предложите ему сперва хлеба с маслом.   24. Он
вероятно пойдёт с нами в (на) концерт.   25. Кто
оставил все эти книги на столе?

LESSON XVIIIa

B. 1. Did you not recognize (surely you recognized) me when
I was standing beside you outside the theatre?   2. How can you
forget your old friends?   3. On the eve of my departure I went
to say good-bye to all my friends.   4. Put all this together at
once and pack it in one box.   5. He sleeps badly because he gets
very little fresh air.   6. They do not go anywhere, therefore you
can always find them at home.   7. If you are so tired, you must
lie down.   8. I never used to be so tired when we lived in the
country.   9. To-day father is at home; usually he is at meetings
every evening.   10. I am very glad that we do not have meetings
very often.   11. You are just saying that; but you miss them
when there are none.   12. I see that you are still reading that
book; how many pages have you left to read?   13. She gives
away everything she earns and leaves herself only pocket money
(for small expenses).   14. Stop, I want to call at the post office;
probably you need stamps too.   15. I am very fond of stopping
to look at the shop-windows; that is a weakness of mine.
16. Where can one get such material?   I am half a yard short.
17. While you are taking your seats in the car, I shall go upstairs
for my gloves.   18. Please bring mine at the same time.   19. Don't
stay there too long, otherwise we shall have to go away without

you. 20. They have practically stopped coming to see us (calling).
I do not know why. 21. We never go to visit each other now.
22. We parted friends. 23. I rushed out before everybody else
and settled down in the back seat. (L. Tolstoi.)

        24. I travel a day and then another,
        And all around are only fields.   (Maikov.)

C. 1. Я ча́сто устаю́. 2. Мы уста́ли. 3. Я
устава́л. 4. Вы никогда́ не устаёте. 5. Я доста́л.
6. Мы доста́ли. 7. Он доста́нет. 8. Она́ не могла́
доста́ть. 9. Он останови́лся. 10. Останови́сь! Остано-
ви́тесь! 11. Я остаю́сь. 12. Он не может оста́ть-
ся. 13. Вы оста́нетесь. 14. Мы расста́немся.
15. Они́ расста́лись. 16. Мне недостаёт. 17. Она́
остана́вливается. 18. Мы не остана́вливаемся.
19. Они́ останови́лись. 20. Он бро́сил. 21. Он
бро́сился. 22. Не броса́йтесь. 23. Они́ угожда́ют.
24. Он броса́ет. 25. Она́ бро́сит.

D. 1. Где мо́жно (я могу́) доста́ть э́ту кни́гу? 2.Вы
мо́жете доста́ть (получи́ть) её в любо́м (во вся́ком)
кни́жном магази́не. 3. Я ходи́л к ва́шей сестре́
вчера́, но не заста́л её до́ма. 4. Её мо́жно заста́ть
до́ма то́лько по́здно ве́чером. 5. Дождь переста́л,
и мы пошли́ гуля́ть. 6. Если вы оста́нетесь не-
мно́го до́льше, я пойду́ с ва́ми. 7. Скажи́те мне,
если вы уста́ли, и мы войдём в трамва́й (пое́дем
трамва́ем). 8. На про́шлой неде́ле у меня́ бы́ли
заседа́ния ка́ждый ве́чер, но на э́той неде́ле я сво-
бо́ден. 9. Ле́том обыкнове́нно заседа́ний не быва́ет.
10. Ча́сто вы быва́ете в шко́ле ве́чером? 11. В
про́шлом году́ я быва́л там по вто́рникам и четвер-
га́м, а в э́том году́ ка́ждый день. 12. Тепе́рь таки́х
веще́й не быва́ет. 13. Он сказа́л, что э́тот каранда́ш

не годи́тся, и вы́бросил его́. 14. Не приноси́ бо́льше
книг; ты и так чита́ешь мно́го. 15. Вы подождёте,
если вы не заста́нете меня́, не правда́ ли? 16. Я
бу́ду ча́сто быва́ть у вас ле́том, но не тепе́рь. 17. Вы
должны́ написа́ть ма́тери на-дня́х. 18. Ско́лько
де́нег у вас оста́лось? 19. Мне недостаёт то́лько
двух и́ли трёх ши́ллингов. 20. Когда́ я заплачу́
за биле́ты, у меня́ оста́нется де́сять рубле́й. 21. Мне
ка́жется, что у неё нет недоста́тков. 22. Где вы
бы́ли тре́тьего дня? — в о́кнах бы́ло темно́, когда я
проходи́л. 23. По́сле за́втра оте́ц и брат уезжа́ют
(е́дут) на восто́к. 24. Вчера́ они укла́дывались весь
день; у них так мно́го веще́й. 25. Мы все пойдём их
провожа́ть. 26. Вы не должны́ забыва́ть друг дру́га.

LESSON XIX

B. 1. In a certain kingdom, once upon a time, lived an old
man. 2. For the summer we went away to the woods, and for
three months heard nothing about anything or anybody. 3. There
is darkness in the woods: there is nothing to see, no one to call,
nothing to shelter behind, nothing to cover oneself with, nobody
to tell one's troubles to. 4. Somewhere, sometime, long ago, I
read a poem. It was soon forgotten . . . but the first line
remained in my memory: " How beautiful, how fresh were the
roses. . . . " (Turgenev.) 5. We all learned in a small way, something and somehow. (Pushkin.) 6. You will understand this when
you have lived here for some years. (Pushkin.) 7. She is very
responsive: she will understand at once, if it is necessary to help
(if help is required). 8. He is the only Russian here, he has
nobody with whom to speak a word of Russian. 9. Do you meet any
of the Russians? 10. Generally we do not meet anybody, as it is
seldom that we go anywhere. 11. Someone was telling me that
you are often at a house of our mutual friends. 12. They used to
live somewhere near the station. 13. There were occasions when
someone thought of something new: some new game for instance.

14. My father and mother went somewhere on business. (Aksakov.) 15. We found (caught) him just when he was explaining to someone where we were living. 16. He did not want to hear of anybody or anything. 17. Come and see us to-night: I have something to show you. 18. He is going to bring me somebody's book. 19. What are you going to do when you leave school? 20. I am thinking of going somewhere abroad. 21. I learned by chance that my friend was living somewhere abroad. 22. Little by little everybody in the class begins to speak Russian. 23. She nearly burst into tears when I told her what had happened to you.

C. 1. Я беру́. 2. Я собира́ю. 3. Мы собра́ли. 4. Они́ бу́дут собира́ть (соберу́т). 5. Мы чу́вствуем. 6. Они́ почу́вствовали. 7. Вы́брали вы? 8. Они́ никогда́ не выбира́ют. 9. Я не бу́ду чу́вствовать (не почу́вствую). 10. Я собира́юсь. 11. Он собира́лся. 12. Они́ собрали́сь. 13. Вы собира́етесь. 14. Вы не вы́брали. 15. Что вы взя́ли? 16. Возьми́те эту кни́гу. 17. Не бери́те словаря́. 18. Вы́берите что-нибудь. 19. Ничего́ не бери́те. 20. Он что-то вы́брал. 21. Пожале́йте! 22. Он не жале́ет. 23. Не жале́йте. 24. Он ничего́ не жале́ет. 25. Мы все собрали́сь.

D. 1. Что вы собира́етесь де́лать ле́том? 2. Мы с бра́том собира́емся пое́хать куда́-нибудь за-грани́цу, но ещё не зна́ем куда́. 3. Когда́-нибудь я расскажу́ вам о на́шей пое́здке в Росси́ю. 4. Встре́тили вы там кого́-нибудь из знако́мых? 5. С на́ми бы́ло не́сколько англича́н, но я не знал никого́ из них пре́жде. 6. Расскажи́те мне что-нибудь о себе́; у вас была́ така́я интере́сная жизнь. 7. Мне не́ о чем вам рассказа́ть; я всю жизнь про́жил до́ма. 8. Мы не должны́ никуда́ ходи́ть; кто-нибудь мо́жет прийти вечером. 9. Им некуда ходить; они никого не знают в городе. 10. Иногда ей не с кем говорить. 11. Я вас где-то видел; ваше лицо мне очень знакомо. 12. А я от кого-то слышал о вас; я слышал много хорошего о вас. 13. Многие не любят говорить о музыке. 14. Вчера вечером мы говорили о многих вещах (*or* о многом). 15. Никакой доктор не сможет ему помочь, если он не выходит на свежий воздух. 16. К сожалению у них в доме что-то случилось, и никому нельзя войти. 17. Это очень печально, потому что мы собирались провести вечер вместе. 18. Моей сестры нет дома; она на каком-нибудь собрании. 19. Мы чуть не пошли без вас. 20. Я привёз много красивых вещей из Парижа. 21. Выберите что-нибудь для себя и для своей сестры, *or* себе и сестре. 22. Многим трудно выбирать себе (для себя). 23. Я принесу с собой эту книгу и выберу что-нибудь для чтения в классе. 24. Мы собрали много газет и журналов и пошлём их в какие-нибудь больницы. 25. Мне жаль тех, кто должен жить в городе летом. 26. Мне кажется, что она чем-то недовольна: она не хочет ни с кем говорить. 27. Жаль, что нам не с кем говорить по-русски.

LESSON XX

B. 1. Every schoolboy in England and in Scotland knows the year 1603. 2. The last European war lasted more than four years. 3. The armistice was concluded on the 11th of November 1918. 4. The French Revolution took place in 1789, and the Russian in 1917. 5. Last year in the U.S.S.R. the sixteenth anniversary of the Revolution was celebrated. 6. The 7th of November is celebrated there every year. 7. The area of the U.S.S.R. constitutes one-sixth of the globe. 8. 1932 was the centenary of the death of Walter Scott. 9. The Volga is the longest river in Europe. 10. It is 2400 miles long, and in some places more than two miles wide. 11. Elbruz is the highest mountain in the Caucasus. 12. It is 18,500 feet high. 13. The train was going at 60 miles an hour. 14. In the Pacific Ocean there are places more than seven miles deep. 15. The aeroplane rose to a height of 10 miles. 16. Give me two fifteen-copeck stamps and two dozen at five copecks. 17. Cut me one and a half metres of this cloth. 18. This cloth is 12 roubles a metre. 19. We were all given ten copecks each. 20. Two mothers, two daughters, a grandmother and a granddaughter are walking along—three people in all. How is that ? 21. Picture to yourself *or* Imagine a man of about forty-five, tall, thin, with a long nose and small grey eyes. (Turgenev.) 22. I do not like to have to do with figures, that is why even at school I never knew the dates of wars. 23. In our school there is a boy who has a very good memory for figures, but he knows only figures and nothing else.

C. 1. Во́семь часо́в. 2. Два́дцать четы́ре часа́. 3. Два́дцать два го́да. 4. Пятьдеся́т лет. 5. Три па́ры но́жниц. 6. Дво́е сане́й. 7. Двадца́тое ма́рта. 8. Ты́сяча девятьсо́т три́дцать четвёртый год. 9. Сто два́дцать шесть лет. 10. В ты́сяча восьмисо́том году́. 11. Ей пятна́дцать лет. 12. Шесть но́вых ученико́в. 13. Два́дцать два но́вых ученика́. 14. Ему́ лет шестна́дцать. 15. Три дю́жины *or* три́дцать шесть. 16. Две́сти пятьдеся́т де́вять страни́ц. 17. Шестьсо́т два́дцать пять челове́к. 18. По восьми́. 19. По́ два; по́ две. 20. Нас бы́ло че́тверо. 21. Полфу́нта. 22. Че́тверть фу́нта. 23. Два с полови́ной фу́нта. 24. Пять восьмы́х кни́ги.

D. 1. Я встал без че́тверти в во́семь, а полови́на девя́того я был уже́ в шко́ле. 2. Уро́ки обыкно-ве́нно конча́ются в три (часа́), но сего́дня мы ко́нчили без десяти́ (мину́т) в три. 3. Мы за́втракаем в полдень. 4. Уже девятый час, дети должны ложиться спать. 5. Вчера моей маленькой сестре исполнилось десять лет; мы всегда празднуем её рожденье, *or* день рожденья. 6. Сколько лет вашему маленькому брату? 7. Ему ещё нет трёх лет; ему исполнится (*or* будет) три года в следующем месяце. 8. У моей тёти сыну двадцать лет, а дочери восемнадцать. 9. После смерти отца им было шесть лет и четыре года. 10. Нас четверо: два брата и две сестры. 11. Я вдвое старше этой маленькой девочки. 12. Вчера вечером мы говорили два с половиной часа. 13. Какого роста ваш дядя? Мне кажется, что он выше вас всех. 14. Думают, что Шекспир родился двадцать третьего апреля тысяча пятьсот шестьдесят четвёртого года. 15. Мы живём в двадцатом веке. 16. В году пятьдесят две недели. 17. Наш поезд идёт со скоростью сорока миль в час. 18. Великая Европейская Война началась в августе тысяча девятьсот четырнадцатого года. 19. Если вы идёте (пойдёте) на почту, купите мне дюжину пятикопеечных марок. 20. В России яблоки продают (продаются) десятками, а не фунтами. 21. Мы проживём здесь ещё полгода, а потом поедем во Францию. 22. Когда вы поедете туда, привезите мне три пары перчаток и две дюжины платков. 23. Никто не знает что может случиться через два или три года. 24. Но вы не собираетесь жить там всё это время? 25. Может быть я останусь там дольше, чем немереваюсь (чем думаю). 26. Там будет выставка картин, может быть вы увидите её. 27. Я не люблю видеть зараз сотни картин. 28. Знаете вы, как уже поздно? (сколько времени,

or кото́рый час) — полови́на двена́дцатого, почти́
по́лночь.   29. Велича́йший ру́сский поэ́т Пу́шкин
у́мер тридцати́ семи́ лет.   30. Он роди́лся в ты́сяча
семьсо́т девяно́сто девя́том году́, а у́мер в нача́ле
ты́сяча восемьсо́т три́дцать седьмо́го.   31. Три го́да
тому́ наза́д мы все е́здили в Росси́ю.   32. В ты́сяча
девятьсо́т три́дцать шесто́м году́ бо́лее тридцати́
ты́сяч тури́стов посети́ли Сове́тский Сою́з.   33.
Населе́ние С.С.С.Р. растёт о́чень бы́стро, в ты́сяча
девятьсо́т три́дцать седьмо́м году́ оно́ дости́гло бо́лее
ста семи́десяти миллио́нов.   34. Како́й высоты́ са́мая
высо́кая гора́ в Шотла́ндии?

LESSON XXI

B. 1. Next day I woke up very very early; the sun had just
risen. (Turgenev.) 2. Above the noise of the water was (suddenly)
heard the gabbling of the "still drowsy" (falling off to sleep again)
geese, and in the village the newly awakened cocks began to call
to each other. (Tolstoi.) 3. He who is born to crawl cannot
fly. (Gorki.) 4. A letter in Russian begins thus: "Honoured
Mr. N (*or* Comrade N.)," and ends with the words: "Yours
respectfully" *or* "Yours truly." 5. A letter to a friend you
begin with the words: "Dear, Dearest So-and-so," and you sign:
"Yours affectionately." 6. "So the last shall be first, and the first
last: for many be called, but few chosen." (Matt. xx. 16.)
7. Father was telling me that he had seen the swans flying so
high that he could not make them out. (Aksakov.) 8. A blind
man asked one who could see: what is the colour of milk ? 9. But
however many examples the man who could see produced, the
blind man could not understand what the white colour of milk
was like.

10. All your life you have lived unloved,
      All your life you have lived for others. (Nekrasov.)
11. All the players placed themselves in a circle. 12. Yesterday
I met our former teacher. 13. The grandfather was dying sur-
rounded by his children and grandchildren. 14. Everybody knows

and respects this deserving scholar.   15. The wounded were
brought to the hospital every day.   16. "Groomed after the
latest fashion, dressed like a London dandy."   (Pushkin.)
17. People say that short hair will soon go out of fashion.   18. On
our road there are always many passers-by driving or walking.

19. I dreamed of the evening sky
              With big stars in it.   (Nadson.)
20. I look and see a small horse going up the hill drawing a load
of brushwood. (Nekrasov.)   21. Not a single pupil could relate
what had been read.   22. Nobody could say whether it was real
fox fur.   23. "How much has been lived through—how much
has been seen," softly muttered the old man.   24. Wake me a
little earlier to-morrow: I'll never waken myself.   25. It is
necessary that I should be in the office before everybody else.

C. 1.	Imperfective		Perfective
	стоя́щий,	стоя́вший	постоя́вший
	продаю́щий,	продава́вший	прода́вший
	даю́щий,	дава́вший	да́вший
	встаю́щий,	встава́вший	вста́вший
	просыпа́ющийся,	просыпа́вшийся	просну́вшийся
	засыпа́ющий,	засыпа́вший	засну́вший
	ви́дящий,	ви́девший	уви́девший
	быва́ющий,	бы́вший	побыва́вший
	перестаю́щий,	перестава́вший	переста́вший
	оставля́ющий,	оставля́вший	оста́вивший
	пла́чущий,	пла́кавший	попла́кавший
	смею́щийся,	смея́вшийся	засмея́вшийся
2.	ви́димый,	ви́денный	уви́денный
	чита́емый,	чи́танный	прочи́танный
	понима́емый,	none	по́нятый
	игра́емый,	и́гранный	сы́гранный [1]
	встреча́емый,	none	встре́ченный
	дава́емый,	„	да́нный
	закрыва́емый,	„	закры́тый
	получа́емый,	„	полу́ченный
	возвраща́емый,	„	возвращённый

[1] See note on p. 78 (*A New Russian Grammar*).

D. 1. Поставьте лампу на стол, стоящий (*or* который стоит) у моей постели. 2. Не садитесь на принесённый вчера стул (*or* который принесли вчера). 3. Я говорю о ковре, лежащем (*or* который лежит) в комнате вашего отца. 4. Она никогда не носит пальто, купленное в Париже. 5. Мы говорили с доктором, только что приехавшим из России (*or* который только что приехал), 6. Мать одевала свою проснувшуюся дочку. 7. Отец носил заснувшего ребёнка. 8. Он возвратил (принёс назад) прочитанную книгу. 9. Это дорога, ведущая на станцию. 10. Все пришедшие после восьми часов не могли получить билетов. 11. Все играющие должны сесть в круг. 12. Стоящие у двери снаружи не должны так шуметь. 13. Господин, бывший здесь час тому назад, едет в Москву. 14. Я знаю молодых девиц, идущих мимо дома. 15. Знаете вы этого человека, везущего (который везёт) овощи и фрукты на рынок? 16. Купец, продающий такое хорошее масло, иностранец. 17. Он говорил с иностранцем, купившим мой дом. 18. Все говорили о мальчике, игравшем вчера на концерте. 19. Узнали вы женщину, смотревшую из поезда? 20. Никто не понял ни слова, сказанного по-русски. 21. Вы должны уложить в этот чемодан прежде всего всё необходимое. 22. Она просила разбудить её пораньше, так как поезд идёт в шесть часов. 23. Я купил себе будильник, так как не могу сам просыпаться во время. 24. Все книги, лежащие на этой полке, необходимы для моей работы, (мне необходимы для работы). 25. Какого цвета платье вы выбрали для своей маленькой сестры?

LESSON XXII

B. 1. Receiving his guests, he was equally pleasant and kind to everybody. 2. Having taken out his purse, he gave all the beggars two silver coins each. 3. When getting ready to go out visiting, they always put on their best frocks and dressed without hurrying, so that everything should be correct. 4. Having taken off his hat and gloves and having hung his coat on the peg, he was waiting to be asked into the reception room. 5. Having gone upstairs, both sisters took off their things and came down again. 6. Having come down a broad carpeted stair, they entered the drawing-room. 7. Having entered the room, they shook hands with the hostess and waited to be introduced to other guests. 8. On returning home, they told how they had spent the time. 9. They would have stayed longer, if their sick grandmother had not been waiting for them at home. 10. It is nice to be out visiting, but it is better at home (there is no place like home). 11. Do this properly, please. 12. If you hurry, you will manage to finish in time. 13. We shall possibly remain here for another year. 14. He must have called on us yesterday; I saw his visiting card on the table in the hall. 15. You might have been speaking Russian much better if you had spoken it at home. 16. She might have told you sooner that she did not need the tickets. 17. To-morrow I shall go away, whatever happens. 18. Having wakened in the morning rather late, I saw that the storm had abated. (Pushkin.) 19. Two days later the whole family, big and small, were in the house. (Grigorovich.)
20. I like the storm in the beginning of May,

> When Spring's first thunder,
> As if frolicking and playing,
> Rumbles in the blue sky.   (Tyutchev.)

21. "Here, have some," he said, resuming his former respectful tone, unwrapping and offering Pierre several baked potatoes. (L. Tolstoi.) 22. He smiled joyfully while listening to such tales, putting in a word here and there and asking questions. . . . (L. Tolstoi.)

С. 1. Вынима́я. 2. Говоря́. 3. Поднима́я. 4. Подня́в. 5. Спеша́. 6. Поспеши́в. 7. Сле́дуя. 8. При-

няв. 9. Я до́лжен был приня́ть (мне пришло́сь
приня́ть). 10. Вам сле́дует снять. 11. Ему сле́до-
вало бы снять. 12. Я мог бы успе́ть. 13. Я зани-
ма́лся бы. 14. Вы могли́ бы занима́ться. 15. Я
спешу́. 16. Сними́те пальто́. 17. Извини́те. 18. Ви-
нова́т. 19. Я не успе́л (мне не удало́сь). 20. Подними-
ми́те кни́гу. 21. Она подняла́ её. 22. Принима́я.
23. Пригото́вив. 24. Обнима́я. 25. Обня́в.

D. 1. Принеся́ (принёсши) кни́гу из библио́теки,
я то́тчас же на́чал чита́ть её. 2. Нача́в чита́ть, я
не мог останови́ться, потому́ что бы́ло так интере́сно
(она была́ так интере́сна). 3. Прочита́в кни́гу, я
закры́л её. 4. То́лько закры́в кни́гу, я посмотре́л
на часы́. 5. Посмотре́в на часы́, (смотря́ на часы́),
я не мог пове́рить, что бы́ло уже́ за́ по́лночь.
6. Уви́дя (уви́дев), что бы́ло так по́здно, я лёг
спать без у́жина. 7. Проснувшись у́тром, я по-
чу́вствовал, что о́чень хочу́ есть (что я о́чень го́лоден).
8. Мой оте́ц де́лает все неспеша́; он говори́т, что
таки́м о́бразом он мо́жет сде́лать бо́льше. 9. Вы́нув
записну́ю кни́жку, он записа́л мой а́дрес. 10. Сто́я
пе́ред ками́ном (огнём), она чита́ла газе́ту. 11. Я
говори́л бы по-ру́сски, е́сли бы до́ма кто-нибу́дь то́же
говори́л. 12. Вы должны́ бы лу́чше говори́ть,
потому́ что вы жи́ли в Москве́. 13. Ва́ша
мать (у вас мать) ру́сская; вам сле́дует говори́ть
с ней. 14. Вы про́сто *должны́* говори́ть с ней
по-ру́сски; это ваш долг. 15. Вам сле́довало
бы поговори́ть о свое́й пое́здке с мои́м бра́том. 16. Я
должно́ быть говори́л об э́том ра́ньше. 17. Я мо́жет
быть бу́ду говори́ть об э́том за́втра. 18. Вы могли́

бы поговори́ть с ней на про́шлой неде́ле.   19. Она́ могла́ бы поговори́ть со мной, е́сли бы пришла́ ра́ньше.   20. Вы ду́маете, что успе́ете переписа́ть свой перево́д до среды́?   21. Она́ извини́лась (передо мной), что забы́ла возврати́ть мою́ кни́гу.   22. Вам сле́дует снять пальто́; здесь сли́шком жа́рко.   23. Если вы не сни́мете пальто́, вы мо́жете простуди́ться.   24. Он должно́ быть простуди́лся в про́шлый вто́рник, когда́ шёл снег; он был о́чень легко́ оде́т.   25. Если бы он бо́льше занима́лся, он знал бы язы́к лу́чше (лу́чше бы знал язы́к).   26. Если бы вы мне сказа́ли, что придёте, у́жин был бы гото́в.   27. Я хочу́, чтобы вы мне написа́ли о себе́.   28. Она́ всегда́ хо́чет, чтобы я ей всё приготовля́ла; *or* Она́ всегда́ про́сит, чтобы я ей всё пригото́вила.

LESSON XXIII

B. 1. We have been waiting for you since morning.   2. You have come at the right moment, we are just sitting down to dinner.   3. Draw in to the table, everything is set before you; you are welcome to it (*lit.* eat to your health).   4. As to your business, we shall speak about it after dinner.   5. I was placed on the right of the hostess.   6. Having finished dinner, we all left the table, thanked the hostess for the nice dinner, and settled round the fire.   7. At dinner we had no time for conversation, but at the fireside the talk became animated.   8. The host offered us all cigars.   9. Everyone was admiring the hostess's little daughter, who was sitting on the carpet and playing with a kitten.   10. Give my kind regards to your wife.   11. My friend reminded me that we had to get up early next day, and we hastily said good-bye.   12. Having spent such a pleasant evening, we returned home in a very good mood.   13. To-morrow, between two and three, I shall go to the theatre for the tickets.   14. For a year now my sister and I have been studying Russian.   15. How can you read in such bright sun-

shine? 16. I remember your explaining it in my presence (when I was there). 17. Everyone values his opinion very highly, he is considered a most eminent scholar. 18. His mother must be proud of him; he has made such progress in such a short time. 19. Everyone laugned at his funny (jolly) story and asked him to tell another. 20. Being home-sick, he was not in a mood to go out visiting. 21. Thus he had no opportunity of meeting people and speaking English. 22. We mostly spent the evenings together. 23. He has a weak heart; he is not allowed to play football. 24. Do not be angry with her; she did not mean to offend you.
25. We hate and we love casually,
    Sacrificing nothing either to malice or to love. (Lermontov.)
26. I am not in a position to sacrifice the necessary in the hope to acquire the superfluous. (Pushkin.)
> 27. But, oh God, what boredom
> To sit by a sick man day and night,
> Without leaving him one step. (Pushkin.)

С. 1. Этот расска́з не ко́нчен, мо́жет быть кто-нибу́дь допи́шет его́. 2. Он неде́лю не выходи́л из до́ма. 3. Она́ о́чень скуча́ет без подру́ги, кото́рая уе́хала за-грани́цу. 4. Она́ живёт во Фра́нции с февраля́ про́шлого го́да. 5. Мы прочли́ все э́ти кни́ги не́сколько раз с нача́ла до конца́. 6. Я жду вас с утра́ чтобы пойти́ купи́ть что-нибу́дь для пода́рка. 7. Кому́ вам на́до (вы хоти́те) купи́ть пода́рок? 8. Это для мое́й ма́ленькой сестры́, че́рез два дня её рожде́нье. 9. Подари́те ей кни́гу стихотворе́ний, она́ о́чень лю́бит стихи́ (поэ́зию). 10. Кста́ти, я то́же хочу́ купи́ть ко́е-что́. 11. Отли́чно, тогда́ я не бу́ду ду́мать, что я отнима́ю у вас вре́мя. 12. Что каса́ется вре́мени, я совсе́м свобо́дна весь день до обе́да. 13. Наде́юсь, что я не помеша́л ва́шей рабо́те; я зна́ю, что вы спеши́те её ко́нчить к сро́ку. 14. Он пропусти́л не́сколько уро́ков по боле́зни.

15. Он в о́чень плохо́м настрое́нии и его́ нельзя́ рассмеши́ть. 16. В бу́дущем году́ в это вре́мя меня́ не бу́дет с ва́ми. 17. Он зашёл ко мне за неде́лю до своего́ отъе́зда в Герма́нию. 18. Если у вас нет кни́ги, поди́те ся́дьте ме́жду на́ми. 19. Пове́сьте эту карти́ну между о́кнами. 20. Нра́вится вам дом, кото́рый стро́ят про́тив шко́лы? 21. Да, я любо-ва́лась им сего́дня у́тром. 22. Как ску́чно смотре́ть на эти дома́ (ви́деть все эти дома́): они́ все одина́-ковые. 23. Все говоря́т, что вы похо́дите на отца́, но я ду́маю, что вы похо́жи на ва́шу мать. 24. Его́ оте́ц о́чень се́рдится на него́, потому́ что он е́дет в Росси́ю. 25. Ли́чно я не понима́ю, почему́ оте́ц не хо́чет, чтобы он пое́хал.

LESSON XXIV

B. 1. Only he will understand me, who has lived through this himself. (Lermontov.) 2. They did not come here merely to enjoy themselves, but to study the language. 3. He was saying this so that you should not rely too much upon him. 4. I had in view exactly what we were speaking about yesterday. 5. Volodya was proud that he had come on a hunter. (Tolstoi.) 6. I shall give you this book, but only on condition that you return it to me to-morrow. 7. For what purpose are you studying Russian? 8. In order to read Russian writers and also for the purpose of going to Russia. 9. Write to me about what you liked most of all abroad. 10. I do not remember your looking so well since I first knew you. 11. Before going on, let us revise what we have learned. 12. All that had been arranged so that life should be easy and comfortable. 13. He went to bed late, but he had finished his work. 14. My brother wants to be a doctor or a teacher. 15. The matter ended by everyone bursting out laugh-ing. 16. He became such as I had always wanted to see him. 17. In spite of the fact that it is only your second year here, you already speak English well. 18. First he visited Germany, then Switzerland, then France, and lastly England. 19. I very much

regret that I went in after you had given your word of honour.
(Lermontov.) 20. Some hurried to town to do business, some to
enjoy themselves, some for both these purposes. (Pecherski.)
21. It is winter.   What are we to do in the country?

> I meet the servant, who brings me my morning cup of tea,
> With questions: is it warm? has the storm abated?
>
> (Pushkin.)

> 22. If only I had hope—
> Though seldom, even only once a week—
> Of seeing you at our home.   (Pushkin.)

23. We ran upstairs to put on our things so that we might look
as much as possible like sportsmen. (L. Tolstoi.)   24. Behind
my little cart a team of four oxen were pulling another cart, as
if it were nothing at all, in spite of its being laden up to the top.
(Lermontov.)

> 25. I have come to this world to see the sun;
> And if the daylight be extinguished,
> I shall sing . . . I shall sing of the Sun.   (Balmont.)

> 26. I am he to whom you listened
> In midnight stillness,
> Whose image you saw in your dream...
> He whose glance destroys hope...
> He whom nobody loves....   (Lermontov: *Demon*.)

27. You are exactly the same as when I first met you on this
very spot. (Zhukovski.)

> 28. . . . Again I visited
> That little corner of the earth, where I spent
> Two unnoticed years in exile (as a recluse).
>
> (Pushkin.)

C. 1. Шко́ла, в кото́рой (где) я преподаю́ (учу́),
была́ постро́ена три го́да тому́ наза́д. 2. Тот, кто
ко́нчит пе́рвый, мо́жет идти́ домо́й. 3. Ма́льчик,
чей го́лос я слы́шу, всегда́ сли́шком мно́го говори́т.
4. Я ду́мал о мои́х друзья́х, в чьём до́ме я провёл
таку́ю прия́тную неде́лю. 5. Это шко́ла, в кото́рую
(куда́) я хочу́ отда́ть своего́ сы́на. 6. Ви́дите вы
де́рево, под кото́рым сиди́т гру́ппа ма́льчиков?

7. Ра́зве вы не узна́ли его́? Э́то тот ма́льчик, кото́рому да́ли пе́рвую награ́ду. 8. Не е́здите в Ло́ндон, не дав мне знать. 9. По́сле того́, как я объясню́ грамма́тику, мы прочтём слова́. 10. Не ве́рьте всему́ тому́, что он вам говори́т. 11. Напиши́те мне откры́тку пе́ред тем, как прийдёте. 12. Пе́ред тем, как посети́ть Фра́нцию, я хоте́л бы пое́хать в Герма́нию. 13. По́сле того́, как они́ посети́ли Фра́нцию (Посети́в Фра́нцию), они́ пое́хали в Швейца́рию. 14. Он всегда́ прихо́дит, когда́ нас нет до́ма, как бу́дто наро́чно. 15. Вы подожда́ли бы, пока́ он не напи́шет вам что де́лать. 16. Он не хоте́л уе́хать, не прости́вшись. 17. Весь ве́чер она́ расска́зывала (говори́ла) нам о том, в каки́х места́х она́ жила́. 18. Он наста́ивает на том, чтобы его́ мать отдыха́ла по́сле обе́да. 19. Скажи́те (расскажи́те) ему́ о своём успе́хе, как то́лько он прийдёт домо́й. 20. По́ле, куда́ мы идём, за э́тим ле́сом. 21. Они́ нам не пи́шут с тех пор, как уе́хали из А́нглии. 22. Пожа́луйста объясни́те э́то нам, пока́ вы тут. 23. Не реша́йте ничего́, пока́ я вам не напишу́. 24. Не начина́йте писа́ть, пока́ я не скажу́. 25. Она́ не так уста́ла, как ка́жется, хотя́ она́ о́чень бледна́. 26. Я написа́л все э́то на доске́, чтобы вы могли́ списа́ть. 27. Я не обрати́л внима́ния на то, что он сказа́л в свое́й ле́кции. 28. Я ду́мал, что вы всегда́ о́чень внима́тельны. 29. Несмотря́ на плохо́е здоро́вье, он не пропусти́л ни одного́ уро́ка.

LESSON XXV

B. 1. Having had my fill of running about, I see myself sitting (*lit.* you sit, so it used to be) at the tea-table on my high arm-chair; it is already late, I have long since finished my cup of milk with sugar; sleep closes my eyes, but I am afraid to move, I sit and listen. And how can I help listening? Mamma is speaking to somebody, and the sound of her voice is so sweet, so kindly. (L. Tolstoi: *Childhood*.)

2. Then he clearly saw
   That in the country boredom was the same,
   Though there were no streets or palaces there,
   Nor cards, nor balls, nor poetry. (Pushkin.)

3. She recovered her senses, but again
   Closed her eyes, and not a word
   She said. Father and mother
   Seek to pacify (calm) her heart . . .
   In vain. For two whole days
   Maria neither ate nor drank. . . . (Pushkin.)

4. What new thing can Moscow show me?
   One ball to-day, to-morrow there'll be two. . . . (Griboyedov.)

5. Having said her prayers, my grandmother would silently undress, fold her clothes carefully on the box in the corner, and would approach the bed, while I would pretend (am pretending) to be sound asleep. (M. Gorki.)

6. But at that moment he was alone. . . . The sound of the wind blew over him a sort of drowsiness. And before the eyes of the young soldier familiar pictures pass. He sees his village too, and the same wind is passing over it and the church is all lit up. . . . At times it is as if he recovers consciousness and then perplexity can be seen in his eyes: what is this?—a field, a rifle and a wall. . . . (Korolenko.)

7. Don't frighten me with your wicked threats.
   No. Take me in your iron claws,
   Make me to know dark storms
   Or carry me away into space beyond the stars.
   (Polonski: *The Eagle and the Serpent*.)

8. "I cannot sleep, nurse. it is so stuffy here.
   Open the window and sit beside me."
   —What is wrong, Tanya?—"I feel lonely;
   Let us talk of old times."
   —About what then, Tanya? I used to have
   In my memory quite a few old tales. . . . (Pushkin.)

9. There are women in Russian villages
   With that quiet gravity of countenance,
   With beautiful strength of movement,

With the carriage and the bearing of a queen,—
One would have to be blind not to notice them,
But one with eyes would say:
"She passes by—it is as if the sun shone upon you,
She glances at you—you are richer by a rouble."

(Nekrasov.)

10. Had I some money, I myself should have given to him, but I have nothing, not a penny. (Chehov: *Sea-gull*.)

11. When I woke up this morning, got up and washed myself, it suddenly appeared to me, as if everything in this world were clear to me, and that I knew how one should live. . . .

Oh, God, if you can't be a real human being, better to be an ox, or a common horse, and do some work, than a young woman who gets up at midday, has coffee in bed, and then spends two hours dressing. . .oh, what a horror! (Chehov: *Three Sisters*.)

12. ANYA. We arrive in Paris; it is cold there, and it is snowing. My French is dreadful. Mamma lives on the fifth floor; I arrive at her place, there are some Frenchmen, and ladies too; the room is full of smoke and not comfortable. I suddenly felt sorry for Mamma, so sorry; I took her head in my hands, hugged it and could not let it go. . . .

VARYA (*through tears*). Don't speak about it, don't. . .

ANYA. Her villa she had already sold, she had nothing left, nothing. I had not a penny left either, we could hardly get back here. And mother does not understand. . . . If we have dinner at a station hotel, she asks for whatever is most expensive, and gives a rouble as a tip.

VARYA. In August they will be selling the estate. . . .

ANYA (*embraces* VARYA. *In a low voice*). Varya, did he propose? (VARYA *shakes her head*.) But he does love you, doesn't he? . . . Why won't you come to an understanding? What are you waiting for?

VARYA. I think nothing will come of it, he is very busy, he cannot be bothered with me . . . he does not pay any attention.

ANYA. The birds are singing in the garden. What time is it now?

VARYA. It must be after two. It is time for you to be in bed, my darling. (Chehov: *The Cherry Orchard*.)

13. The bright sun pours its slanting rays into our class-room, and there is a visitor sitting in my little room in the boarding-school. I had recognized my visitor at once, as soon as she entered:

it was my mother. We were sitting *tête à tête*, and I, feeling strange, was gazing at her. Afterwards, many years later, I learned that she had come to Moscow with her very limited resources solely for the purpose of seeing me. She had a small bundle with her, and she untied it: in it there were six oranges, several "pryaniki" and two ordinary French rolls. But I did not even touch the gifts. I had been merely throwing sidelong glances at her old dark dress, her rough hands, which looked almost like those of a working woman, her very coarse shoes, and her face which had grown considerably thinner. (Dostoyevski.)

14. Swiftly a beautiful and powerful steamer sails down the river, and slowly there move to meet her the banks of the stately beauty Volga.... All around the water is sparkling, and there is a vast expanse and boundless freedom on every side; the meadows are bright and green and the blue sky is kind and serene; in the quiet motion of the water one can feel restrained power, in the sky above shines the generous May sun; the air is filled with the sweet fragrance of pines and fresh foliage. And the banks are still coming to meet you, caressing your eye and your soul with their beauty, and ever new vistas are opening out upon them.... (M. Gorki.)

15. An educated man is one who has acquired much knowledge and is moreover accustomed to judge quickly and correctly what is good and what is bad, what is just and what is unjust, or, to express it in one word, who is accustomed "to think," and, finally, whose understanding (ideas) and feeling have been directed towards noble and lofty ends, that is, have conceived a strong affection for everything good and beautiful. All these three qualities—wide knowledge, the habit of thinking, and the nobility of feeling—are necessary for a man to be educated in the full sense of the word. He whose knowledge is slight is an ignoramus; he whose mind is not accustomed to think is narrow and dull; he who has no noble feeling is a bad man.

In childhood, and during the first years of youth, men go to school; the purpose of the teachers' instruction is to mould the youth into an educated man. But when he leaves school and stops having lessons, his education is continued by reading, *i.e.* instead of his former teachers to whom he listened as child and youth, the grown man has one instructress—literature.

(Chernyshevski.)

TABLE OF ENDINGS

SINGULAR

	Nouns			*Personal Pronouns*		
	M. & N.	Fem.				
N.	(-), -о [1]	-а [1]	-ь	я	ты	—
G.	-а	-ы	-и	меня	тебя	себя
D.	-у	-е [2]	-и	мне	тебе	себе
A.	like N. or G.	-у	-ь	меня	тебя	себя
I.	-ом	-ой (ою)	-ью	мной (ою)	тобой (ою)	собой (ою)
P.	-е [3]	-е [3]	-и	мне	тебе	себе

PLURAL

N.	-ы, -и, -а, -я		мы	вы
G.	-ов, -ев, -ей, (-), -ь, -ий [3]		нас	вас
D.	-ам, -ям		нам	вам
A.	like Nom. or Gen.		нас	вас
I.	-ами, -ями		нами	вами
P.	-ах, -ях		нас	вас

[1] Masc. nouns in -ь, -й, neut. in -е, and fem. in -я, have the endings correspondingly soft.

[2] In fem. and neuter nouns in -ия, -ие and masc. in -ий, after и *not* -е, *but* -и.

[3] (1) -ов, -ев: masc. nouns in (-) and -й.

    (2) -ей: masc. and fem. nouns in -ь; masc. with the stem in ж, ч, ш, щ; neuter nouns in -е.

    (3) (-), -ь: fem. nouns in -а and -я, neuter in -о.

    (4) -ий: fem. and neuter nouns in -ия, -ие.

TABLE OF ENDINGS

SINGULAR

Pronouns and Adjectives

	M. & N.			Fem.	
N.	он, оно	-ый (-ой), -ое	-ий, -ее	она	-ая	-яя
G.	его	-ого	-его	её	-ой	-ей
D.	ему	-ому	-ему	ей	-ой	-ей
A.	его	like Nom. or Gen.		её	-ую	-юю
I.	им	-ым [1]	-им [1]	ей (ею)	-ой (ою)	-ей (ею)
P.	нём	-ом	-ем	ней	-ой	-ей

PLURAL

N.	они	-ые	-ие	все, те	эт-и
G.	их	-ых	-их	-ех	,, их
D.	им	-ым	-им	-ем	,, им
A.	их	like Nom. or Gen.			
I.	ими	-ыми	-ими	-еми	,, ими
P.	них	-ых	-их	-ех	,, их

[1] кто, тот (то) have: кем, тем; что, весь (всё) — чем, всем; этот (это) — этим.